깐깐한 고등영문법

Start

저자 Wiz Tool 영어 연구소

고등 스타트

랭기지플러스

깐깐한 고등영문법
Start 고등 스타트

초판발행_ 2015년 11월 17일
초판3쇄_ 2019년 11월 27일
저자_ Wiz Tool 영어 연구소
책임편집_ 이효리, 김효은, 양승주
펴낸이_ 엄태상
디자인_ 박경미
마케팅_ 이승욱, 오원택, 전한나, 왕성석
온라인마케팅_ 김마선, 김제이, 조인선
경영기획_ 마정인, 조성근, 최성훈, 김다미, 전태준, 오희연
물류_ 유종선, 정종진, 최진희, 윤덕현, 신승진
펴낸곳_ 랭기지플러스
주소_ 서울시 종로구 자하문로 300 시사빌딩
주문 및 교재문의_ 1588-1582
팩스_ (02)3671-0500
홈페이지_ http://www.sisabooks.com
이메일_ book_english@sisadream.com
등록일자 _ 2000년 8월 17일
등록번호_ 제1-2718호
ISBN_ 978-89-5518-618-5 (53740) / 978-89-5518-622-2(set)

깐깐한 고등영문법

Start

고등 스타트

이 책의 구성과 활용법

1. 기초 개념을 확실히 이해하고 정리할 수 있게 구성하였습니다.

기본 문법을 세분화하여 제시하여 지금까지 영어 공부를 하면서 대강 보아 넘긴 문법 사항을 일목요연하게 정리할 수 있습니다.

2. 암기가 아닌 자연스럽게 문법을 익힐 수 있도록 구성하였습니다.

달달 외우는 문법 공부가 아닌 핵심적인 문법 내용을 알기 쉬운 예문으로 자연스럽게 학습할 수 있습니다.

3. 딱 필요만 설명만 담았습니다.

상투적인 한자어식의 지루한 문법 설명 대신 학생들의 눈높이에 맞춘 간단하고 쉬운 설명으로 해설만 봐도 기초 개념을 확실히 이해하고 정리할 수 있게 구성하였습니다.

4. 문법은 물론 어휘와 독해 실력을 동시에 향상시킬 수 있도록 구성하였습니다.

문법 따로, 어휘 따로, 독해 따로 공부하는 것이 아닌 문법을 대표하는 문장을 통해 문법은 물론 단어와 독해 실력까지 함께 향상되도록 구성하였습니다.

GRAMMAR Point

달달달 외우기만 하는 문법에서 탈피하여
각 단원의 핵심적인 문법 내용을 알기 쉬운
예문을 통해 자연스럽게 학습할 수 있습니다.

LET'S Drill

앞에서 익힌 문법을 확인할 수 있는
다양한 형태의 문제를 제시하였습니다.

REAL Test

핵심 문법이 녹아 있는 문장으로 구성된
독해 지문을 통해, 독해와 문법 실력을
동시에 잡을 수 있도록 구성하였습니다.

정답과 해설

각 문제의 핵심을 알기 쉽게 자세히
설명하였습니다. 해당 문제뿐만 아니라
확장된 문법 사항을 쉬운 예문과
함께 설명하였습니다.

이 책의 차례

Ⅰ. 동사와 시제

01-1 동사와 형식

01 He always **works** hard. 그는 항상 열심히 일한다.
02 She **looks** happy. 그녀는 행복해 보인다.
03 They **found** a box. 그들은 상자를 발견했다.
04 My sister will **give** him a present. 내 여동생은 그에게 선물을 줄 것이다.
05 He **made** me cry. 그는 나를 울게 만들었다.

01 **1형식**: 주어와 동사로만 구성된 문장, 1형식 문장이 길어지는 경우는 수식어구 때문이다.

02 **2형식**: 주어, 동사 그리고 보어로 구성된 문장, 이때의 보어는 주어를 보충해 주는 말로 주격보어라고 부른다.
의미상으로 주어=보어이다.

03 **3형식**: 주어, 동사, 목적어로 구성된 문장

04 **4형식**: 주어, 동사, 간접목적어, 직접목적어로 구성된 문장
4형식은 '누구에게 ~을/를 주다'라고 해석된다. '주다'라는 개념 때문에 4형식 동사를 수여동사라고 한다.

05 **5형식**: 주어, 동사, 목적어, 목적격보어로 구성된 문장
이때의 보어는 목적어의 의미를 보충해 주는 말이므로 목적격보어라고 부른다.

※ 동사는 목적어의 유무에 따라 자동사와 타동사로 나뉘고, 보어의 유무에 따라 완전자동사와 불완전자동사로 구분된다.

01-2 동사에서 꼭 알아 두어야 할 것

01 A rose **smells** sweet. 장미는 냄새가 향기롭다.
02 He **married** her last year. 그는 작년에 그녀와 결혼했다.
03 My father **gave me a watch**. 아버지가 나에게 시계를 주셨다.
→ My father **gave a watch to me**.
04 Mr. Joe **made me stay** home. Mr. Joe는 나를 집에 머물게 하였다.
05 I **saw him running** along the street. 나는 그가 길을 따라 뛰는 것을 보았다.

01 turn, look, seem, appear, sound, smell, feel, taste 등의 불완전자동사는 형용사가 보어로 온다.

02 attend(참석하다), resemble(닮다), enter(들어가다), marry(결혼하다), inhabit(거주하다), discuss(토론하다), approach (접근
하다) 등은 의미상으로 자동사인 듯 보이지만 타동사이다. 뒤에 전치사와 함께 쓰이지 않는다.

03 '수여동사 + 간접목적어 + 직접목적어' 4형식은 '수여동사 + 직접목적어 + 전치사 + 간접목적어' 3형식으로 고쳐 쓸 수 있다.
• 전치사 to를 사용하는 동사 : give, send, teach, lend, tell 등 대부분의 수여동사
• 전치사 for를 사용하는 동사 : make, buy, build, get 등
• 전치사 of를 사용하는 동사 : ask, inquire 등

04 사역동사의 목적격보어: 사역동사는 목적격보어로 원형부정사를 써야 한다.

05 지각동사의 목적격보어: 지각동사는 목적격보어로 동사원형이나 현재분사 모두 가능하다.

01-**3** 현재, 과거, 미래

01 The earth **goes** around the sun. 지구는 태양 주위를 돈다.

02 Ted **saw** two movies yesterday. Ted는 어제 영화를 두 편 보았다.

Alexander Graham Bell invented the telephone in 1876.

Alexander Graham Bell은 1876년에 전화를 발명했다.

03 I **will** be seventeen next year. 나는 내년에 17살이 된다.

04 When the weather **gets** better, we'll go to the seaside. 날씨가 나아지면 우리는 바닷가로 갈 것이다.

01 현재의 사실이나 습관, 불변의 진리를 나타낼 때는 현재 시제를 쓴다.

02 과거의 사실이나 행위나 동작, 습관, 경험 등을 나타낼 때는 과거시제를 쓴다.

03 앞으로 일어날 일을 나타낼 때 미래시제를 쓰는데 일반적으로 조동사 will을 써서 표현한다. be going to와 같은 표현으로도 미래를 나타낼 수 있다.

04 시간이나 조건을 나타내는 부사절에서는 현재시제가 미래시제를 대신한다.

01-**4** 진행

01 He **is** now **swimming** in the river. 그는 지금 강에서 수영하고 있다.

He **is living** in Busan. 그는 지금 부산에서 살고 있다.

02 Tom **was reading** the book from 11 p.m. to 12 p.m. Tom은 밤 11시부터 12시까지 책을 읽고 있었다.

03 I **will be staying** at home all day tomorrow. 나는 내일 하루 종일 그 집에 머물 것이다.

04 She **is resembling** her mother. (×)

→ She **resembles** her mother. (○) 그녀는 그녀의 어머니를 닮았다.

01 현재진행형은 일시적인 기간 동안의 계속, 상태, 습관 등을 나타낸다.

02 과거진행형은 과거에 하고 있는 일이 진행 중이었음을 나타낸다.

03 미래진행형은 미래의 어떤 시점에서 진행 중이거나 계속적인 동작을 나타낸다.

04 무의지감각동사(see, hear, smell, …), 인식을 나타내는 동사(love, like, know, believe, …), 계속적인 인식을 나타내는 동사 (be, have, resemble, belong to, …)는 진행형으로 쓸 수 없다.

01-**5** 완료

01 I **have** just **finished** setting the table. 나는 막 상 차리는 것을 끝냈다.

My father **has gone** to Seoul. 나의 아버지는 서울에 가셨다.

I **have** never **seen** anything like that before. 나는 저렇게 생긴 것은 전에 본 적이 없다.

He **has known** her since last year. 그는 그녀를 작년부터 알고 지냈다.

02 We **had prepared** dinner when she arrived. 그녀가 도착했을 때, 우리는 저녁 준비를 다 했었다.

03 She **will have gone** there when I come home. 내가 집에 올 때쯤에는 그녀가 거기에 가고 없을 것이다.

04 I **have bought** this yesterday. (×)

I **bought** this yesterday. (○) 나는 이것을 어제 샀다.

01 현재완료는 'have[has] + 과거분사'의 형태로 과거에 일어난 일이 현재까지 영향을 미칠 때 사용된다. 이때 그 용법에 따라 완료 · 결과 · 경험 · 계속으로 쓰인다.

02 과거완료는 'had + 과거분사'의 형태로 과거를 기준으로 그 과거 이전에 벌어진 일이 과거에 영향을 미칠 때 사용한다. 그 용법은 현재완료와 같다.

03 미래완료는 'shall[will] + have + 과거분사'의 형태로 쓰이며 미래의 어떤 때를 기준으로 동작 · 상태의 완료, 결과, 경험, 계속을 나타낼 때 쓰인다.

04 확실한 과거를 나타내는 부사 yesterday, ago, last + 시간, just now 등은 현재완료에 쓸 수 없고, 반드시 과거와 써야 한다.

01-**6** 완료진행

01 She **has been playing** the game since this morning. 그녀는 아침부터 그 게임을 하고 있다.

02 She **had been washing** the car when her husband came.

남편이 왔을 때 그녀는 세차를 하고 있었다.

03 I **shall have been waiting** for him for two hours by six.

6시가 되면 내가 그를 2시간 동안 기다린 셈이 된다.

01 현재완료진행은 'have[has] + been + -ing'의 형태로, 과거에서 현재까지 일정한 기간 동안 계속되는 동작을 나타낸다.

02 과거완료진행은 'had + been + -ing'의 형태로, 과거의 어떤 시점까지 동작이 계속되는 것을 나타낸다.

03 미래완료진행은 'will[shall] + have + been + -ing'의 형태로, 미래의 어떤 시점까지 동작이 계속되는 것을 나타낸다.

Let's Drill

정답 및 해설 p. 2~3

A 다음 괄호 안에서 어법에 맞는 형태를 고르시오.

1. They look (cheerful, cheerfully).
2. We (discussed, discussed about) the plan.
3. The train (has arrived, arrived) just now.
4. Two and three (makes, will make) five.

B 다음 빈칸에 가장 적절한 것을 쓰시오.

1. My sister will be there. 누나는 거기에 올 것이다.
   = My sister _____ _____ _____ be there.

2. My father bought me a car. 아버지는 나에게 차를 사 주셨다.
   = My father bought a car _____ me.

C 다음 주어진 문장에서 <u>틀린</u> 곳을 찾아 바르게 고치시오.

1. I am knowing him very well.
2. We are visiting our aunt every Sunday.
3. The police have arrested a suspect last Friday.
4. She said that Columbus had discovered America in 1492.

D 다음 해석에 맞게 빈칸을 채울 때 가장 적절한 것은?

We _____ English for three years.

우리는 3년째 영어를 배우고 있다.

① learn   ② is learning
③ learned   ④ had learned
⑤ have been learning

1 다음 글의 밑줄 친 부분 중, 어법상 틀린 것은?

There are many other kinds of eggs besides birds' eggs. ① <u>Those from insects</u> are no bigger than a pencil point and come in different shapes and colors. Those of fish and frogs ② <u>are held together</u> with something ③ <u>that is looked like</u> clear jelly. Some of those from turtles have shells ④ <u>that are soft</u>. Others are hard. The eggs of snakes are always soft. Interesting eggs of different kinds ⑤ <u>can be found</u> in all parts of the world.

2 다음 글의 밑줄 친 부분 중, 어법상 틀린 것은?

As Johnnie walked through the park he heard the sounds of ① <u>laughing children</u>. He saw Marty and some other boys ② <u>playing baseball</u>. And there was Fred, giving them encouragement. They all seemed ③ <u>to be having</u> so much fun, which just made Johnnie feel worse. ④ <u>Reaching the north end</u> of the park, he stopped at the old wishing well. In the good old days, Johnnie remembered sadly, he and Anne ⑤ <u>have often come</u> to the well.

3 다음 글의 밑줄 친 부분 중, 어법상 틀린 것은?

Ever since Tino was a little boy, he ① <u>has wanted to return</u> to his birthplace and visit his relatives, ② <u>who are still living</u> there. Now, at the age of 29, he has finally decided to make the trip. Tomorrow at this time ③ <u>he will be flying</u> over the Atlantic on his way to Italy. Barbara ④ <u>won't be going</u> with him because she has to stay and work at the bank. ⑤ <u>When he will arrive at</u> the airport, he will go to a hotel and spend the night there.

4 (A), (B), (C)의 각 네모 안에서 어법에 맞는 표현으로 가장 적절한 것은?

Tommy paid for his new clothing and walked home (A) feeling / felt very happy about the jacket and pants he (B) has just bought / had just bought. He was especially happy (C) because / because of the clothing was on sale and he had paid 50 percent off the regular price.

	(A)	(B)	(C)
①	feeling	has just bought	because of
②	feeling	had just bought	because
③	felt	has just bought	because
④	felt	has just bought	because of
⑤	felt	had just bought	because of

2. 조동사

02-**1** may[might]

01 You **may** go to the movies tonight. 너는 오늘 밤에 영화 보러 가도 좋다.

02 It **may** be fine tomorrow. 내일은 날씨가 좋을지도 모른다.

The news **may not** be true. 그 뉴스는 사실이 아닐지도 모른다.

03 He **may well** get angry. 그가 화를 내는 것은 당연하다.

= **It is natural** that he **should** get angry.

You **may as well** begin at once. 너는 즉시 시작하는 것이 좋겠다.

01 가장 많이 쓰이는 may의 용법은 '~해도 좋다'는 허가의 의미이다. 과거형은 might이고 부정형은 may not이다.

02 may는 가능성에 대한 추측을 나타내기도 한다. 이때 긍정적인 의미의 추측도 가능하고, 부정적인 의미의 추측도 가능하다.

03 may well: ~하는 것이 당연하다(= it is natural that)

may as well: ~하는 편이 더 낫다

02-**2** can[could]

01 He **can** read books. 그는 책을 읽을 수 있다.

= He **is able to** read books.

She **could not** remember his name. 그녀는 그의 이름을 기억할 수 없었다.

02 **Can** it be true? 그것이 사실일까?

I think it **cannot** be true. 나는 그것이 사실일 리가 없다고 생각한다.

03 **Can** I open the window, please? 창문을 열어도 될까요?

04 I **couldn't but laugh.** 나는 웃지 않을 수가 없었다.

We **cannot** praise him **too** much. 그를 아무리 칭찬해도 지나치지 않다.

01 가장 많이 쓰이는 can의 용법은 '~할 수 있다'는 뜻으로 가능을 나타낸다.

02 can은 '~일지도 모른다'는 추측의 의미로도 사용된다.

03 상대방의 허락을 구하는 표현으로 '~해도 되겠습니까?'라는 표현으로 쓰이기도 한다.

04 cannot but + 동사원형: ~하지 않을 수가 없다 = cannot help –ing

cannot ~ too: 아무리 ~해도 지나치지 않다

02-3 will[would]

01 I **will** graduate from high school next month. 나는 다음 달에 고등학교를 졸업할 것이다.

02 I **will** have my own way. 나는 나의 방식대로 하겠다.

03 She **would** come to see me when she was young. 그녀는 젊었을 때 나를 만나러 오곤 했다.

04 I **would like to** have a new coat for my birthday. 나는 생일에 새 코트를 받고 싶다.

   I **would rather** stay at home now. 지금은 집에 있는 것이 차라리 낫겠다.

01 will의 가장 많이 쓰이는 용법은 미래를 나타내는 표현이다.

02 will은 주어의 의지나 고집을 나타낼 때도 쓰인다.

03 would는 과거의 불규칙한 습관에 쓰인다. 과거의 규칙적인 습관은 used to를 쓴다.

04 would like to + 동사원형: ~하고 싶다

   would rather + 동사원형: 차라리~하겠다

02-4 shall[should]

01 **Shall** we go out for shopping? 우리 같이 쇼핑하러 나갈까요?

02 You **should** be careful not to say the secret. 너는 비밀을 말하지 않도록 주의해야 한다.

03 It is natural that he **should** get angry. 그가 화를 내는 것은 당연하다.

04 It is strange that she **should** cry all day long. 그녀가 하루 종일 울다니 정말로 이상한 일이다.

01 'shall we ~?'는 '~할까요?'의 뜻으로 상대방에게 의향이나 의사를 물을 때 쓴다.

02 'should + 동사원형'은 '~해야 한다'는 뜻으로 마땅히 해야 하는 의무를 나타낸다.

03 'It is ~ that'의 문장에서 이성적 판단을 나타내는 necessary, important, natural, rational 등의 형용사가 오면 that절에 should를 쓴다.

04 'It is ~ that'의 문장에서 감성적 판단을 나타내는 surprising, strange, curious 등의 형용사가 오면 that절에 should를 쓴다.

02-5 기타 조동사

01 I **must** buy some new clothes. 나는 새 옷을 몇 벌 사야 한다.

He **has to** study English tonight. 그는 오늘 저녁에 영어를 공부해야만 한다.

02 You **ought to** go to church. 너는 교회에 다녀야 한다.

03 Sam **used to** play soccer after school. Sam은 방과 후에 축구를 하곤 했다.

04 You **had better** carry a laptop. 너는 노트북을 가져가는 것이 좋겠다.

01 must와 have to는 '~해야 한다'는 뜻으로 의무를 나타내는 조동사이다.

02 ought to는 '~해야 한다'는 뜻으로 should와 같은 의미로 쓰이는데, 부정형이 ought not to라는 것에 주의한다.

03 used to는 '과거에 ~했었다'는 뜻으로 과거의 습관을 나타낼 때 쓰인다.

04 'had better + 동사원형'은 '~하는 것이 낫다'라는 의미로 쓰인다.

02-6 중요한 조동사의 용법

01 I suggested that he **(should)** attend the meeting. 나는 그가 회의에 참석해야 한다고 제안했다.

02 John **may have been** sick last night. John은 어제 저녁에 아팠는지도 모른다.

He **cannot have read** the book. 그는 그 책을 읽었을 리가 없다.

The man **must have told** a lie. 그 사람이 거짓말했음에 틀림없다.

You **should have gotten** up earlier. 너는 더 일찍 일어났어야만 했다.

He **need not have said** so. 그는 그렇게 말할 필요는 없었다.

01 제안, 주장, 요구, 명령을 나타내는 동사(suggest, insist, demand, propose) 등이 오면 that절에 'should + 동사원형'을 쓴다. 이때 should는 생략할 수 있다.

02 may + have + 과거분사 : ~이었을지도 모른다

cannot + have + 과거분사 : ~이었을 리가 없다

must + have + 과거분사 : ~이었음에 틀림없다

should + have + 과거분사 : ~ 했어야만 했다(=ought to + have + 과거분사)

need not + have + 과거분사 : ~ 할 필요가 없었다

Let's Drill

A 다음 괄호 안에서 어법에 맞는 형태를 고르시오.

1. You had better (carry, to carry) a suitcase.
2. You (may, can) as well go home.
3. It is natural that he (should, would) do so.
4. John (must have been, should have been) sick last night.

B 다음 빈칸에 가장 적절한 것을 쓰시오.

1. We _____ like to offer you our congratulations. 우리는 너에게 축하를 전하고 싶다.

2. You must drive on the left in England. 영국에서는 좌측에서 차를 몰아야 한다.
   = You _____ _____ drive on the left in England.

3. He can read books. 그는 책을 읽을 수 있다.
   = He _____ _____ _____ read books.

4. I could not help laughing at the sight. 나는 그 광경에 웃지 않을 수 없었다.
   = I _____ _____ _____ _____ at the sight.

C 다음 주어진 문장에서 **틀린** 곳을 찾아 바르게 고치시오.

1. You ought to not see such a film.
2. She used to going to church every Sunday last year.
3. They insisted that the accident should take place on the crosswalk.

D 다음 해석에 맞게 다음 빈칸을 채울 때 가장 적절한 것은?

> You _____ rude to your teacher.
> 너는 선생님에게 무례하게 굴지 말았어야 했다.

① had to   ② shouldn't
③ wouldn't   ④ wouldn't have been
⑤ shouldn't have been

1

(A), (B), (C)의 각 네모 안에서 어법에 맞는 표현으로 가장 적절한 것은?

They took us to a small village (A) hiding/hidden high in the mountain. You (B) would have seen/should have seen the view. It was beautiful. Maybe you've never seen such a beautiful village. They motioned to us to sit down and then brought us a delicious dinner of roast pig. After the meal we were very tired and they led us to a large grass hut. We fell (C) asleep/living immediately, in spite of the lions roaring in the distance.

	(A)	(B)	(C)
①	hiding	would have seen	asleep
②	hidden	should have seen	asleep
③	hiding	should have seen	living
④	hidden	would have seen	living
⑤	hidden	should have seen	living

2

(A), (B), (C)의 각 네모 안에서 어법에 맞는 표현으로 가장 적절한 것은?

My mother was always asking me if I (A) brushed/had brushed my teeth. After every meal she would say, "Did you brush your teeth?" Every time I had a snack, just some cookies or a piece of fruit, she wanted to know if I had cleaned my teeth. She insisted that my dog Fritz (B) have/had had clean teeth too. Naturally, she ordered I should clean (C) it/them for him.

	(A)	(B)	(C)
①	brushed	had had	it
②	had brushed	have	them
③	brushed	have	it
④	had brushed	had had	them
⑤	brushed	have	them

3 다음 글에서 밑줄 친 부분 중, 어법상 틀린 것은?

Mary ① has been assembling cameras since 7 A.M., and she's very tired now. She ② has assembled 20 cameras today, and she ③ has never assembled that many cameras in one day before! She ④ has to assemble only one more camera, and then she can go home. She ⑤ may as well be tired. But she's glad. It's been a long day.

4 (A), (B), (C)의 각 네모 안에서 어법에 맞는 표현으로 가장 적절한 것은?

People (A) who/whom write for youths write all kinds of books. Some write about real things, like stars, cars, or boats. But others tell stories that are (B) making/made up. Many of these stories take place in the past. But some show what it's like to live today. These may (C) be/to be about going to school or being part of a family.

	(A)	(B)	(C)
①	who	making	be
②	who	making	to be
③	whom	making	be
④	whom	made	to be
⑤	who	made	be

3. 부정사

03-1 명사적 용법

01 **To see** is **to believe**. 보는 것이 믿는 것이다.

02 **To speak** English fluently requires much practice. 영어를 유창하게 하는 것은 많은 연습이 필요하다.

She wants **to enter** the college. 그녀는 그 대학에 들어가길 원한다.

My dream is **to become** a lawyer. 나의 꿈은 변호사가 되는 것이다.

03 She didn't know **what to do** then. 그녀는 그때 무엇을 해야 할지 몰랐다.

01 to부정사란 'to + 동사원형'의 형태로 명사·형용사·부사의 역할을 말한다.

02 to부정사의 명사적 용법은 명사가 하는 일과 마찬가지로 문장에서 주어·목적어·보어 역할을 한다.

03 '의문사 + to부정사'는 동사의 목적어 역할을 하는 명사적 용법이다. 해석은 '~할지'로 하면 된다.

03-2 형용사적 용법

01 He has a large family **to support**. 그는 부양해야 할 대가족이 있다.

She appears **to be** innocent. 그녀는 순진해 보인다.

02 We **are to meet** him here at six. 우리는 여기서 그를 여섯 시에 만나기로 했다.

You **are to finish** the homework by 6. 너는 그 숙제를 여섯 시까지 끝내야만 한다.

Nobody **was to be** seen in the park. 그 공원에서 아무도 보이지 않았다.

They **were** never **to meet** again. 그들은 다시 못 만나게 될 운명이었다.

If we **are to be** happy, we must be honest. 행복하려면, 우리는 정직해야 한다.

01 to부정사의 형용사적 용법은 형용사처럼 쓰인 것으로 명사를 수식하거나 불완전자동사의 보어가 된다.

02 be to 용법은 해석에 따라서 예정, 의무, 가능, 운명, 의도의 뜻이 있다.

03-3 부사적 용법

01 I was surprised **to see** her. 나는 그녀를 만나게 돼서 놀랐다.

This water is not good **to drink**. 이 물은 마시기에 적합하지 않다.

He is not old enough **to understand** it. 그는 그것을 이해할 만큼 나이를 먹지 않았다.

02 **To begin with**, I like this design. 우선적으로, 나는 이 디자인이 좋다.

To tell the truth, I failed the exam. 사실대로 말하자면, 나는 시험에 떨어졌다.

Needless to say, you should keep the secret. 말할 필요도 없이, 너는 그 비밀을 지켜야 한다.

01 to부정사의 부사적 용법은 동사·형용사·부사·문장 전체를 수식하며 목적, 원인, 이유, 결과, 조건, 양보 등을 나타낸다.

02 조건, 양보의 의미로 문장 전체를 수식하는 to부정사를 독립부정사라고 하는데 일반적으로 숙어처럼 쓰인다. to make matters worse(설상가상으로), so to speak(말하자면), strange to say(이상한 말일지는 모르지만), to make a long story short(간단히 말해서) 등이 있다.

03-4 to부정사의 의미상 주어와 시제

01 I hope **to succeed**. 나는 성공하기를 바란다.

I wanted James **to see** me there. 나는 James가 그곳에서 나를 만나주기를 바랐다.

02 It is rather easy **for me to read** that book. 내가 그 책을 읽는 것은 좀 쉽다.

03 It is very nice **of you to come** here. 당신이 이곳에 오셔서 정말로 좋습니다.

04 He seems **to be** happy. 그는 행복한 것처럼 보인다.

= It seems that he **is** happy.

He seems **to have been** happy. 그는 행복했던 것처럼 보인다.

= It seems that he **was** happy.

01 to부정사는 동사의 성질이 있으므로 의미상 주어를 가지고 있다. 의미상 주어가 문장의 주어와 같은 경우는 따로 표기하지 않는다.

02 일반적으로 to부정사의 의미상 주어를 표현할 때는 'for + 목적격'을 사용한다.

03 사람의 성질을 나타내는 형용사(kind, nice, good, foolish, wise, …)가 오면 의미상 주어는 'of + 목적격'으로 써 준다.

04 to부정사의 시제가 문장의 본동사와 같은 시제일 때는 단순부정사(to + 동사원형)를 쓰고, 문장의 본동사의 시제보다 한 시제 앞설 때는 완료부정사(to + have + 과거분사)를 쓴다.

03-5 주의해야 할 to부정사의 용법

01 I always try **not to tell** a lie. 나는 항상 거짓말을 하지 않으려고 노력한다.

02 You may stay if you want **to**. 네가 원한다면 머물러도 좋다.

03 **It** is difficult **to master** English in a few years. 몇 년 안에 영어를 숙달한다는 것은 어렵다.

04 Mr. Smith is **too** poor **to buy** the house. Smith 씨는 너무 가난해서 집을 살 수가 없다.

---

01 부정사의 부정은 부정사 앞에 not이나 never를 붙인다.

02 한번 나온 동사의 반복을 피하기 위해 동사원형을 생략하고 to만 쓰는 것을 대부정사라고 한다.

03 일반적으로 to부정사가 주어로 왔을 때 문장이 길어지면 가주어 it을 쓰고 to부정사는 뒤에서 사용하는데 이를 가주어(it) · 진주어(to부정사)라고 한다.

04 관용적으로 쓰이는 to부정사의 어구는 숙어처럼 잘 익혀 두어야 한다.
too ~ to부정사(너무 ~해서 …할 수 없다) = so ~ that 주어 cannot …
~ enough to부정사(…할 만큼 ~하다) = so ~ that 주어 can …
so as to부정사(~하기 위해서) = in order to부정사

03-6 원형부정사

01 You must **come** to class on time. 너는 제시간에 수업에 들어와야 한다.

02 We never saw him **laugh**. 우리는 그가 웃는 것을 본 적이 없다.

= He was never seen **to laugh** by us.

03 He made us **enter** the room. 그는 우리가 방에 들어가도록 시켰다.

= We were made **to enter** the room by him.

04 I **could not but accept** the decision. 나는 그 결정을 받아들이지 않을 수 없었다.

---

01 원형부정사는 to가 없이 동사원형만으로 나타내는 부정사이다.

02 지각동사(see, hear, watch, listen to, …)는 목적격보어로 원형부정사를 쓴다. 이때 문장이 수동태가 되면 to부정사를 쓴다.

※ 동작의 진행을 강조하는 경우 목적격보어로 현재분사도 올 수 있다.
I heard him coming up to me. 나는 그가 나에게 오는 것을 들었다.

03 사역동사(help, let, have, make, …)는 목적격보어로 원형부정사를 쓴다. 이때도 문장이 수동태가 되면 to부정사를 쓴다.

04 cannot but + 동사원형(~하지 않을 수 없다), had better + 동사원형(~하는 편이 더 낫다), would rather + 동사원형(차라리 ~하는 편이 더 낫다) 등의 관용 표현으로 쓰인다.

Let's Drill

정답 및 해설 p. 8~9

A 다음 괄호 안에서 어법에 맞는 형태를 고르시오.

1. I found (it, that) difficult to write a letter.
2. She let me (go, to go) to the movies.
3. It is rather easy (of me, for me) to read that book.
4. I'm doing my best in order (to go, going) to college.

B 다음 빈칸에 가장 적절한 것을 쓰시오.

1. John was so angry that he could not speak. John은 너무 화가 나서 말을 할 수 없었다.
   = John was ＿＿＿＿ angry ＿＿＿＿ speak.

2. She seems ＿＿＿＿ ＿＿＿＿ angry. 그녀는 화가 난 것처럼 보였다.
   = It seems that she is angry.

3. Do you know ＿＿＿＿ ＿＿＿＿ meet him?
   당신은 그를 어디에서 만나야 할지 알고 있습니까?

C 다음 주어진 문장에서 <u>틀린</u> 곳을 찾아 바르게 고치시오.

1. We decided to not go there.
2. It is kind for you to say so.
3. You always make me to smile.
4. The plane was seen land at the airport.

D 진하게 표시된 부분에 유의해서 다음 문장을 해석하시오.

1. **To tell the truth**, she doesn't like you.
2. **To make matters worse**, it began to rain.
3. We **are to meet** him here at six.
4. He is strong **enough to move** the table by himself.

1

다음 글의 밑줄 친 부분 중, 어법상 틀린 것은?

John as well as his parents ① <u>are very busy</u> today. It's Saturday, and they all ② <u>have to do</u> the things they didn't do during the week. His father ③ <u>has to fill out</u> his income tax form. He didn't have time ④ <u>to do it</u> during the week. His mother has to pick up her clothes at the cleaner's. John has to take his library books back. He forgot ⑤ <u>to take</u> them back during the week.

2

다음 글의 밑줄 친 부분 중, 어법상 틀린 것은?

It is good for students ① <u>plan</u> their weekly schedules. Many students schedule all of the activities they must do at a certain time first. These are activities such as classes, work that ② <u>must be done</u> on time. Next, they plan time for things that they need to do but don't have to do at a certain time. Each student can decide when ③ <u>he or she wants</u> to do them. These are study time for each class, time for eating, exercising, and ④ <u>sleeping</u>. Finally, students can use the rest of their time the way ⑤ <u>they want to</u>.

3 다음 글의 밑줄 친 부분 중, 어법상 틀린 것은?

To study the behavior of an insect, you ① <u>must make a chart</u> that shows its movements before, during, and after some event. The event ② <u>could be a change</u> in light, temperature or food. When you report the results, it ③ <u>is always important to be</u> completely objective. Don't make assumptions about the reason for the behavior, just report the facts. Try ④ <u>to not draw</u> conclusions from them. ⑤ <u>It's easy to say</u> "the inset was unhappy" or "the insect loves the light", but these are mere assumptions.

4 다음 글의 밑줄 친 부분 중, 어법상 틀린 것은?

A few days ago someone ① <u>told me that</u> my brother's girl friend was dating another boy. I hesitated for a few days, but I ② <u>decided to say</u> to my brother. I felt that I ③ <u>should let my brother know</u>. After I did, he met her with the story. Although she denied it, it caused a terrible argument and they ④ <u>broke up</u>. Now it has turned out that the rumor wasn't true, and my brother has ⑤ <u>stopped to speak</u> to me. Please, tell me what to do.

4. 분사

04-1 분사란?

01 The girl **reading** a book is my sister. 책을 읽고 있는 소녀가 나의 여동생이다.

He seemed **satisfied**. 그는 만족한 것처럼 보였다.

My father had an old camera **repaired**. 아버지는 낡은 카메라를 수리시켰다.

02 The **sleeping** child is my brother. 자고 있는 아이는 내 동생이다.

He is in love with the girl **called** Taehee. 그는 태희라고 불리는 소녀와 사랑에 빠져 있다.

01 분사는 형용사처럼 명사를 수식하거나 주격보어 • 목적격보어 등으로 쓰인다.

02 분사에는 현재분사와 과거분사가 있는데 현재분사는 능동 • 진행의 의미가, 과거분사에는 수동 • 완료의 의미가 있다.

04-2 현재분사

01 They say he is a **walking** dictionary. 그들은 그를 걸어 다니는 사전이라고 부른다.

02 The man **sitting** on the bench is my uncle. 그 벤치에 앉아 있는 사람은 우리 삼촌이다.

03 She sat **reading** a magazine. 그녀는 잡지를 읽으면서 앉아 있었다.

04 She saw him **come**. 그녀는 그가 오는 것을 보았다.

She saw him **coming**. 그녀는 그가 오고 있는 것을 보았다.

01 현재분사는 명사 앞에서 그 명사를 수식한다.

02 현재분사가 뒤에서 명사를 수식할 때는 그 앞에 '관계대명사 + be동사'가 생략되어 있는 것으로 보면 된다.

03 현재분사는 불완전자동사의 주격보어로도 쓰인다.

04 지각동사의 목적격보어로 원형부정사와 현재분사가 모두 올 수 있는데, 원형부정사는 정적인 묘사를 나타내고, 현재분사는 동적인 묘사를 나타낸다.

04-3 과거분사

01 It was a **crowded** bus. 그것은 만원 버스였다.

There are a lot of goods **made** in China. 중국에서 만들어진 많은 상품이 있다.

02 You look **tired**. 너는 피곤해 보인다.

I never heard my name **called**. 나는 내 이름이 불리는 것을 듣지 못했다.

03 I **had my watch fixed**. 나는 시계를 수리시켰다.

She **had her bag stolen**. 그녀는 가방을 도난당했다.

01 과거분사 역시 형용사처럼 명사를 수식해 주는 역할을 한다.

02 과거분사는 2형식의 주격보어나 5형식의 목적격보어로 쓰인다.

03 'have + 목적어 + 과거분사'에서 주어에게 유리할 때는 '～시키다'로 해석하고 불리할 때는 '～당하다'로 해석한다.

04-4 주의해야 할 분사의 용법

01 The dog followed me **with** its tail **wagging**. 그 개는 꼬리치면서 나를 따라왔다.

= The dog followed me **wagging** its tail.

02 **The wounded** were many, but **the missing** were a few.

부상자들은 많았지만, 실종된 사람들은 소수였다.

The dying raised a flag of truce. 죽어가는 사람들은 백기를 들었다.

03 That was a **surprising** news. 그것은 놀라운 소식이었다.

He was **surprised** at the news. 그는 그 뉴스에 놀랐다.

01 'with + 명사 + 현재분사(과거분사)'는 '～을 … 한 채'의 뜻이다.

02 'the + 현재분사(과거분사)'는 복수 보통명사로 '～한 사람들'의 뜻이다.

03 사람의 감정을 나타내는 동사의 과거분사는 문장의 주어가 무생물인 경우에는 쓰일 수 없다. 따라서 무생물이 주어인 경우에는 현재분사를, 사람이 주어일 때는 과거분사를 써야 한다. 감정을 나타내는 동사로는 satisfy, tire, excite, interest 등이 있다.

04-**5** 분사구문

01 As I was poor, I couldn't buy a car. 가난하기 때문에 나는 그 차를 살 수가 없다.

→ **Being poor**, I couldn't buy a car.

02 **Walking** in the street, I met my girl friend. 길을 걷다가, 나는 여자친구를 만났다.

Being tired with the hard work, I went home early. 힘든 일에 지쳐서, 나는 일찍 집에 갔다.

Turning to the left, you will find the station. 왼쪽으로 돌아가면, 역이 있을 겁니다.

Admitting what you say, I still think I'm right. 네가 말한 것은 인정하지만, 나는 아직도 내가 옳다고 생각한다.

She went away, **waving** her hand. 그녀는 손을 흔들면서 가 버렸다.

He picked up a stone, **throwing** it. 그는 돌을 집어 들고, 그것을 던졌다.

01 분사구문이란 '접속사 + 주어'가 생략되고, 동사가 분사의 형태로 쓰이는 것을 말한다.

02 분사구문은 때(when, while, after), 원인이나 이유(because, as, since), 조건(if), 양보(though, although), 부대상황(동시동작), 연속동작(and)의 의미로 쓰인다.

04-**6** 주의해야 할 분사구문의 용법

01 As the sun had risen, we departed. 해가 떴으므로, 우리는 출발했다.

→ The sun **having** risen, we departed.

02 **Not knowing** what to say, I remained silent. 무슨 말을 해야 할지 몰라서 가만히 있었다.

03 **Frankly speaking**, the man is not honest. 솔직히 말하면, 그 사람은 정직하지 못하다.

01 분사구문의 시제가 주절의 시제보다 앞선 경우 'having + 과거분사'를 써야 한다. 또 주절의 주어와 같지 않을 때 분사 앞에 주어를 써야 한다.

02 분사구문의 부정은 분사구문 앞에 not이나 never를 써 준다.

03 분사구문의 의미상 주어가 주절의 주어와 같지 않더라도 일반적인 사람(we, they, people, …)인 경우는 생략되어 보통 숙어처럼 쓰이는데 이를 독립분사구문이라고 한다.

judging from(~으로 판단하건대), generally speaking(일반적으로 말하면), considering(~을 고려하면)

Let's Drill

정답 및 해설 p. 11~12

A 다음 괄호 안에서 어법에 맞는 형태를 고르시오.

1. My father sent me a letter (written, writing) in English.
2. Who is the girl (playing, played) the piano?
3. She has a little cat (called, calling) Kitty.
4. It was an (exiting, excited) game.

B 다음 빈칸에 가장 적절한 것을 쓰시오.

1. When I came into the room, I found him sleeping.
   = _____ into the room, I found him sleeping.
   방 안으로 들어갔을 때, 나는 그가 자고 있는 것을 발견했다.

2. Since it was cloudy, we could not enjoy the view.
   = _____ _____ cloudy, we could not enjoy the view.
   구름이 끼었으므로, 우리는 그 경치를 즐길 수 없었다.

3. When he had finished his work, he went home.
   = _____ _____ his work, he went home.
   그가 일을 마치고 집에 갔다.

C 다음 문장의 빈칸에 가장 적절한 것은?

_____ the girl before, I could recognize her at once.

① That see   ② Seeing
③ Seen   ④ Being seen
⑤ Having seen

D 진하게 표시된 부분에 유의해서 다음 문장을 해석하시오.

1. **Generally speaking**, English is not easy to speak.
2. **Smiling brightly**, she extended her hand.
3. **Frankly speaking**, the man is not honest.
4. She was standing **with her eyes closed**.

1

(A), (B), (C)의 각 네모 안에서 어법에 맞는 표현으로 가장 적절한 것은?

A man approached a woman (A) writing/written at a post-office desk. His hand was in a cast. "Pardon me," said the man, "but could you please address this post card for me?" The woman gladly did so, (B) agree/agreeing also to write a short message and sign for him.

"There," said the woman, (C) smiling/smiled . "Is there anything else I can do for you?"

"Yes," the man replied. "At the end could you put, 'P.S.—Please excuse the handwriting.'?"

	(A)	(B)	(C)
①	writing	agreeing	smiling
②	written	agreed	smiled
③	writing	agreeing	smiled
④	written	agreed	smiling
⑤	written	agreeing	smiled

2

다음 글의 밑줄 친 부분 중, 어법상 틀린 것은?

The advantage of ① enjoying a hobby is filling time pleasantly. On weekends many people often don't know what to do or ② where to go. So they stay at home watching TV, ③ interfered in their family. But if they were interested in something, they would be too busy with it to interfere in other people's lives. This would bring peace among family members. And ④ asking their family members ⑤ to share the same hobbies with them, they can make their families happy.

3 다음 글의 밑줄 친 부분 중, 어법상 틀린 것은?

For the second time in a day, Maria was ① <u>cried</u>. Michael was the cause both times. How badly Maria ② <u>felt</u> because of her short fingers! Michael always said he was sorry, but then soon after, he would make Maria cry again. It is bad for us ③ <u>to remember</u> the bad things ④ <u>done</u> to us for too long, but it can also be bad to forget them too soon. I told Maria that she shouldn't accept Michael's apology. She should refuse ⑤ <u>to speak</u> to him for a long time. That would force him to think!

4 다음 글의 밑줄 친 부분 중, 어법상 틀린 것은?

A sick man went to a doctor he hadn't visited before. ① <u>As he entered</u> the room, he noticed a sign: "$20 first visit, $10 subsequent visits."

② <u>To save</u> some money, he greeted the doctor by saying, "Nice to see you again." The doctor nodded his hello, then began the examination, ③ <u>turning</u> grave as he examined.

"Doctor, what is it?" the patient asked.

"Well," the doctor said, ④ <u>putting</u> down his stethoscope. "Just ⑤ <u>keep doing</u> the same thing I told you to do the last time you were here."

stethoscope: 청진기

5. 동명사

05-1 동명사란?

01 **Taking** a walk is a good exercise. 산책을 하는 것은 좋은 운동이다.

02 My hobby is **listening** to the rap music. 나의 취미는 랩 음악을 듣는 것이다.

03 I enjoy **playing** basketball. 나는 농구하는 것을 즐긴다.

He succeeded in **solving** the problem. 그는 그 문제를 해결하는 데 성공했다.

01 동명사는 동사원형에 −ing를 붙인 것으로 동사의 성질을 유지하면서 명사의 역할을 한다. 동명사는 명사처럼 주어의 역할을 한다.

02 동명사는 불완전자동사 뒤에서 주격보어 역할을 한다.

03 동명사는 타동사나 전치사의 목적어 역할을 한다.

05-2 동명사의 시제와 의미상 주어

01 He was proud of **living** in the country. 그는 시골에서 사는 것을 자랑스러워했다.

= He was proud that he **lived** in the country.

He was proud of **having lived** in the downtown as a child. 그는 어릴 때 중심가에 살았던 것을 자랑스러워했다.

= He was proud that he **had lived** in the downtown as a child.

02 I can't stand **his** being rude to you. 나는 그가 너에게 무례한 것을 참을 수 없다.

He doesn't mind **me** smoking here. 그는 내가 여기서 담배 피우는 것을 꺼리지 않는다.

01 동명사의 시제는 단순형과 완료형이 있는데, 단순형은 주절의 동사와 시제가 같을 때 쓰이고, 완료형은 주절의 시제보다 한 시제 앞설 때 쓰인다.

02 동명사도 부정사처럼 의미상 주어를 가지는데 그 형태는 일반적으로 소유격이고, 목적격도 가능하다.

05-3 동명사와 to부정사, 현재분사

01 His hobby is **riding** horses in the field. 그의 취미는 들판에서 말을 타는 것이다.

His hobby is **to ride** horses in the field.

02 There are hundreds of seats in the **reading** room. 열람실에는 수백 석의 좌석이 있다.

He drew a picture of a **sleeping** baby. 그는 잠자는 아기를 그렸다.

---

01 동명사와 to부정사는 해석상으로는 차이가 없는 듯 보이지만 의미상으로 약간의 차이가 있다. 동명사는 과거/현재지향적인 의미이고, to부정사는 미래지향적인 의미이다.

02 동명사와 현재분사는 형태상으로는 차이가 없는 듯 보이지만, 의미상으로는 동명사가 용도나 목적을 나타내고, 현재분사는 명사를 수식하여 성질이나 상태를 나타낸다.

05-4 동사의 목적어로 쓰이는 동명사와 to부정사

01 He **promised to be** here at ten. 그는 10시에 여기에 오기로 약속했다.

02 I **finished reading** the novel yesterday. 나는 어제 그 소설 읽는 것을 끝냈다.

03 I **remember seeing** the movie. 나는 그 영화를 봤던 것을 기억한다.

I **remember to see** him tomorrow. 나는 내일 그를 만날 것을 기억한다.

04 He **stopped smoking**. 그는 담배 피우는 것을 그만두었다.

He **stopped to smoke**. 그는 담배 피우기 위해서 멈추었다.

---

01 to부정사만을 목적어로 취하는 동사에는 agree, choose, decide, hope, promise, want, expect 등이 있다.

02 동명사만을 목적어로 취하는 동사에는 admit, avoid, enjoy, excuse, give up, mind, postpone, consider, quit 등이 있다.

03 remember, forget 등은 to부정사와 동명사를 모두 목적어로 취할 수 있는 동사이지만 그 의미가 달라진다.

remember[forget] + to부정사: ~할 것을 기억하다[잊다], remember[forget] + 동명사: ~한 것을 기억하다[잊다]

04 stop은 동명사만을 목적어로 취하는 동사이다. stop 뒤에 to부정사가 오면 목적어가 아니고 부정사의 부사적 용법에 해당된다.

05-5 주의해야 할 동명사의 용법

01 Your watch wants **mending**. 너의 시계는 수리할 필요가 있다.

  I want **to go** with you. 나는 너와 함께 가고 싶다.

02 I regret **not having** studied hard. 나는 공부를 열심히 하지 않은 것을 후회한다.

03 Birds can fly without **being taught**. 새는 배우지 않고도 날 수 있다.

01 want[need]가 동명사와 함께 쓰이면 수동의 의미를 갖고 to부정사와 함께 쓰이면 능동의 의미가 된다.

02 동명사의 부정은 동명사 앞에 not[never]을 쓴다.

03 동명사의 수동태는 'being + 과거분사'의 형태로 쓴다.

05-6 동명사의 관용적 표현

01 I **feel like going** out for a walk. 나는 산책하러 나가고 싶다.

02 Paris **is worth visiting** once. 파리는 한 번 방문할만한 가치가 있다.

03 I am **looking forward to seeing** you as soon as possible. 나는 가능한 한 빨리 너를 보기를 기대하고 있다.

04 He has **devoted his life to playing** soccer. 그는 축구에 일생을 바쳤다.

05 The rain **prevented** us **from enjoying** the trip. 비 때문에 우리는 여행을 즐길 수가 없었다.

동명사에는 관용적으로 쓰이는 표현이 있는데 이것은 숙어처럼 알아 둔다.

• keep on −ing(계속해서 ~하다)

• be on the point of −ing(막 ~하려고 하다 = be about to + 동사원형)

• cannot help −ing(~하지 않을 수 없다 = cannot but + 동사원형)

• cannot ~ without −ing(~할 때마다 …한다)

• it goes without saying that(~은 말할 필요도 없다 = it is needless to say that~)

• devote to −ing(~에 전념하다)

Let's Drill

정답 및 해설 p. 14~15

A 다음 괄호 안에서 어법에 맞는 형태를 고르시오.

1. She decided (to go, going) to Paris.
2. I enjoyed (to watch, watching) a circus parade.
3. I don't feel like (to eat, eating) anything.
4. I am sure of (pass, passing) the test.
5. My video camera needs (to clean, cleaning).

B 다음 빈칸에 가장 적절한 것을 쓰시오.

1. He was about to leave the room.
   = He was on the _____ of _____ the room.
   그는 막 방을 나가려던 참이었다.

2. I cannot but cry at the news.
   = I cannot _____ _____ at the news.
   나는 그 소식을 듣고 울지 않을 수 없었다.

3. His illness _____ us _____ starting.
   그가 아프기 때문에 우리는 출발할 수가 없었다.

C 다음 밑줄 친 것 중에서 문법적으로 성격이 <u>다른</u> 하나는?

① a sleeping car   ② a waiting room
③ a dancing hall   ④ a smoking space
⑤ a singing girl

D 진하게 표시된 부분에 유의해서 다음 문장을 해석하시오.

1. They **stopped to think**.
2. I **remember seeing** him somewhere.
3. He **devoted** his life **to helping** the poor.
4. **It goes without saying that** health is above wealth.

Real Test

1 다음 글의 밑줄 친 부분 중, 어법상 틀린 것은?

A heavy drinker made up his mind to give up ① <u>to drink</u>. One day he ② <u>went shopping</u> in the town near his home. Shopping was over, and ③ <u>on his way home</u>, he came to a pub. "Here is the place ④ <u>to test myself</u>," he said to himself, and passed it running. He was glad at this success. By and by he came to another pub, and ⑤ <u>did the same</u> at once.

2 다음 글의 밑줄 친 부분 중, 어법상 틀린 것은?

Ellen had pretty, soft hair and dark, soft eyes, and dressed ① <u>in soft colors</u>. She thought of herself ② <u>as a very happy and very lucky person</u>, because she had a good job and was able to buy herself a fair number of soft-colored dresses. Perhaps soon, Ellen would ③ <u>fall in love with</u> a nice young man and they would ④ <u>be married</u>. She would devote herself ⑤ <u>to bake cakes</u> and mending socks.

3 (A), (B), (C)에 네모 안에서 어법에 맞는 표현으로 가장 적절한 것은?

Singing was probably the first music in the world. People still enjoy (A) doing/to do it today. Everyone likes to learn the words and tunes of songs. Some people like to do it alone. Other people would rather (B) join/to join a group. People everywhere are usually as happy as they sing. The voice is used for (C) sing/singing. It makes sounds that are high or low. It may also make deep, rich sounds.

	(A)	(B)	(C)
①	doing	join	singing
②	to do	to join	sing
③	to do	join	singing
④	doing	to join	sing
⑤	to do	to join	singing

4 다음 글의 밑줄 친 부분 중, 어법상 틀린 것은?

John ① has been busy doing his homework these days. So he ② is looking forward to go camping in the mountains this weekend. ③ He is going to hike several miles, take a lot of pictures, and ④ forget about all his work at home. He ⑤ is planning to get up late in the morning and enjoy quiet evenings there for three days.

6. 수동태

06-**1** 능동태 · 수동태

01 Everybody **loves** her. 모든 사람은 그녀를 사랑한다.

She **is loved by** everybody. 그녀는 모두에게서 사랑받는다.

02 **Jane** is loved by Tarzan. Jane은 Tarzan에게 사랑받는다.

01 능동태와 수동태는 기본적인 의미 차이는 없지만 능동태는 행위자, 즉 주어에 중점을 두고 있는 경우에 쓰이고, 수동태는 행위를 당하는 사람에 중점을 두며, 주어는 'by + 목적격'으로 쓰여서 동작을 받고 동사는 'be + 과거분사'가 된다.

02 수동태는 행위를 일으킨 대상이 불분명하거나 누가 행위를 당했는지를 더 부각해서 표현하고자 할 때 쓰인다.

06-**2** 태의 전환

01 A fireman **saved** the baby. 소방관은 그 아기를 구출했다.

→ The baby **was saved by** a fireman. 그 아기는 소방관에 의해서 구출되었다.

02 They **speak** French in France. 그들은 프랑스에서 프랑스어를 말한다.

→ French **is spoken** in France **(by them)**. 프랑스어는 프랑스에서 말해진다.

01 능동태를 수동태로 전환할 때 주어는 'by + 목적격'이 되어서 동사의 뒤로 가고 목적어는 주격이 되어서 주어의 자리로 간다. 동사는 'be동사 + 과거분사'의 형태가 된다.

02 'by + 행위자'가 일반인이거나 모를 때, 중요하지 않거나, 너무도 당연할 때는 생략 가능하다.

06-3 4형식 · 5형식의 수동태

01 Mr. Kim **teaches** us English. 김 선생님은 우리에게 영어를 가르치신다.

→ We **are taught** English by Mr. Kim. 우리는 김 선생님에게서 영어를 배운다.

→ English **is taught to us** by Mr. Kim. 영어는 김 선생님에 의해서 우리에게 가르쳐진다.

02 Everybody **called** him a fool. 모든 사람들은 그를 바보라고 불렀다.

→ He **was called** a fool by everybody. 그는 모든 사람들에 의해서 바보로 불렸다.

01 4형식 문장의 수동태는 직접목적어와 간접목적어를 모두 주어로 쓸 수 있는데, 간접목적어가 주어가 되는 경우는 3형식의 경우와 동일하고, 직접목적어가 주어가 되는 경우는 간접목적어 앞에 전치사 to를 주로 붙여 준다. 이때 buy, make, choose, get, order 등의 동사가 오면 to 대신 for를 써 주고, ask, inquire 등의 동사가 오면 전치사 of를 써 준다.

02 5형식 문장의 수동태는 목적어가 주어로, 주어가 'by + 목적격'으로, 목적격보어가 주격보어로 바뀌어서 2형식의 문장이 된다.

06-4 by 이외의 다른 전치사를 쓰는 경우

01 Look at the hill which **is covered with** snow. 눈으로 덮여 있는 그 언덕을 보아라.

Many people **are not satisfied with** their looks. 많은 사람들은 그들의 외모에 만족하지 않는다.

The fact that he is a liar **is known to** everyone in the school.
그가 거짓말쟁이라는 사실은 학교에서 모두에게 알려졌다.

02 The desk is **made of** wood. 책상은 나무로 만들어진다.

Butter is **made from** milk. 버터는 우유로 만들어진다.

This fabric is **made into** beautiful drapes. 이 직물은 훌륭한 커튼이 된다.

01 be covered with(~로 덮여 있다), be satisfied with(~에 만족하다), be known to(~로 알려지다), be interested in(~에 관심을 갖다) 등은 관용적으로 by 이외에 다른 전치사를 쓰는 경우이다.

02 make의 경우 전치사에 의해서 그 의미가 달라지므로 잘 알아 두어야 한다.

be made of + 재료: 물리적인 변화(재료가 변하지 않음)

be made from + 재료: 화학적인 변화(재료가 변함)

be made into + 제품: 가공하여 만들다

06-5 수동태의 시제

01 She **will blame** me. 그녀는 나를 비난할 것이다.

→ I **will be blamed** by her. 나는 그녀에 의해 비난받을 것이다.

02 He **is writing** a letter. 그는 편지를 쓰고 있다.

→ A letter **is being written** by him. 편지는 그에 의해서 쓰이고 있다.

03 I **have read** the book. 나는 그 책을 읽은 적이 있다.

→ The book **has been read** by me. 그 책은 나에 의해서 읽혀진 적이 있다.

01 미래형의 수동태는 'will[shall] + be + 과거분사'의 형태로 쓴다.

02 진행형의 수동태는 'be being + 과거분사'의 형태로 쓴다.

03 완료형의 수동태는 'have been + 과거분사'의 형태로 쓴다.

06-6 주의할 수동태

01 He **saw** a bear **come**. 그는 곰이 오는 것을 보았다.

→ A bear **was seen to come** by him. 곰이 오는 것은 그에 의해 보였다.

02 She **got tired** of work. 그녀는 일에 싫증 나게 되었다.

She **was tired** of work. 그녀는 일에 싫증나 있었다.

03 I **had** my purse **stolen**. 나는 지갑을 도난당했다.

I **got** my watch **repaired**. 나는 시계를 고치게 했다.

01 지각동사나 사역동사가 수동태가 되면 목적보어로 쓰인 원형부정사가 to부정사가 된다.

02 수동태에서 be동사 대신에 get, become, grow 등을 쓰면 동작을 나타내는 수동태가 된다.

03 'have[get] + 사물 + 과거분사'의 형태에서 주어에게 유리하면 '사역(~시키다)'의 뜻으로, 주어에게 불리하면 '수동(~당하다)'의 뜻으로 해석한다.

Let's Drill

정답 및 해설 p. 17~18

A 다음 괄호 안에서 어법에 맞는 형태를 고르시오.

1. I (was born, born) in 1982.
2. Mr. Kim (washes, is washed) the car every day.
3. He (called, was called) a fool by everybody.
4. I was made (study, to study) hard by mother.

B 다음 빈칸에 가장 적절한 것을 쓰시오.

1. I was surprised _____ the news. 나는 그 소식을 듣고 깜짝 놀랐다.
2. I am concerned _____ my mother's health. 나는 나의 어머니의 건강을 걱정한다.
3. The house was made _____ stone. 그 집은 돌로 지어졌다.
4. She always told her grandchildren these words. Be satisfied _____ simple things. 그녀는 항상 손주들에게 이런 말을 했다. 작은 것에 만족해라.

C 주어진 문장을 수동태로 고칠 때 빈칸에 가장 적절한 것은?

> Mother made me a doll.
> → _____ was made _____ by mother.

① A doll, for me   ② I, for a doll
③ A doll, myself   ④ I, for me
⑤ A doll, to me

D 다음 주어진 문장에서 <u>틀린</u> 곳을 찾아 바르게 고쳐 쓰시오.

1. I had my computer repair. 나는 나의 컴퓨터를 수리시켰다.
2. Some questions were asked for me by her.
   몇몇 질문들은 그녀에 의해서 나에게 질문되었다.
3. My wife is satisfied by my present. 나의 아내는 나의 선물에 만족해했다.
4. He was seen enter the room by me. 그가 방에 들어가는 것이 보였다.

1 다음 글의 밑줄 친 부분 중, 어법상 틀린 것은?

Cartoons are drawings that ① <u>tell stories</u> or give messages. Most cartoons ② <u>make people laugh</u>. Some are serious. Many of them teach important lessons. They make people think. Sometimes the drawings ③ <u>alone have</u> meanings. More often ④ <u>words add</u> to ⑤ <u>help make</u> the meanings clear.

2 (A), (B), (C)의 각 네모 안에서 어법에 맞는 표현으로 가장 적절한 것은?

Years ago candles were (A) burned/burning to give light to home. People making their homes in caves probably learned that animal fat could (B) be coated/be coating on sticks and burned. Later just the fat was burned in holders to light up rooms. Next, people used long pieces of fat with a thin strip of cloth running through the center of each one, much like today's candles. After that finally candles (C) made/were made to light up rooms.

(A)	(B)	(C)
① burning	be coating	were made
② burning	be coating	made
③ burning	be coated	made
④ burned	be coating	were made
⑤ burned	be coated	were made

3 (A), (B), (C)의 각 네모 안에서 어법에 맞는 표현으로 가장 적절한 것은?

The two boys didn't have dinner at home. Instead they got onto a ferry which (A) took / was taken them from Dublin to London. They didn't pay a cent. They didn't pay for their train tickets (B) too/either. And the two boys (C) didn't ask/ weren't asked for tickets on the bus ride to London's airport.

	(A)	(B)	(C)
①	took	too	didn't ask
②	was taken	either	weren't asked
③	took	either	weren't asked
④	was taken	too	didn't ask
⑤	took	too	weren't asked

4 다음 글의 밑줄 친 부분 중, 어법상 틀린 것은?

He ① was born in London in 1477, the son of a noted judge. As a child he ② educated at St. Anthony's school and then from the age of thirteen ③ was placed in the household of the Archbishop of Canterbury for further education. Here, his merry character and brilliant intellect ④ attracted the notice of the archbishop, who ⑤ sent him to Oxford for studies in 1492.

7. 관사/명사/대명사

07-1 관사

01 There is **a** book on the desk. 책상 위에 책이 한 권 있다.

She has **a** book. I want to borrow **the** book. 그녀는 책 한 권이 있다. 나는 그 책을 빌리고 싶다.

02 **A cow** is **a** useful animal. 소는 유용한 동물이다.

The cow is **a** useful animal.

03 She held me **by the** hand. 그녀는 내 손을 붙잡았다.

He patted her **on the** back. 그는 그녀의 등을 두드렸다.

01 관사의 종류에는 정관사와 부정관사가 있는데, 정관사는 정해진 대상 앞에, 부정관사는 정해지지 않은 대상 앞에 놓는다.

02 a[the] + 단수명사는 복수보통명사로서 종족 전체를 나타낸다.

03 catch[seize, hold, take] + 사람 + by the + 신체 부위: ~의 ~를 잡다

strike[hit, beat, pat] + 사람 + on the + 신체 부위: ~의 ~를 치다

look[stare] + 사람 + in the + 신체 부위: ~의 ~를 보다

07-2 명사의 일반적인 용법

01 She eats two **oranges** a day. 그녀는 하루에 오렌지 두 개씩 먹는다.

Art is long, **life** is short. 예술은 길고, 인생은 짧다.

02 He solved the problem **with ease**. 그는 쉽게 그 문제를 풀었다.

03 Jane is a girl **of beauty**. Jane은 아름다운 여자이다.

04 **The pen** is mightier than **the sword**. 펜은 무기보다 강하다.

01 보통명사와 같은 명사들은 셀 수 있는 명사로 부정관사를 붙이거나 복수형으로 만들 수 있고, 추상명사와 같이 셀 수 없는 명사는 부정관사를 붙일 수 없고, 복수형도 없다.

02 '전치사 + 추상명사'는 부사구의 개념으로 쓰인다.

03 'of + 추상명사'는 형용사의 개념으로 쓰인다.

04 보통명사에 the를 붙이면 추상명사가 된다.

07-3 주의해야 할 명사의 용법

01 **The rich** are not always happy. 부자들이라고 항상 행복한 것은 아니다.

02 I am **a six-year-old** boy. 나는 6세의 소년이다.

03 **An hour's walk** brought me to my uncle's. 한 시간 걸으니 나는 아저씨 댁에 도착했다.

04 **To my surprise**, she won the first prize in the flower show. 놀랍게도, 그녀가 꽃 전시회에서 일등을 했다.

01 'the + 형용사'는 복수보통명사로 쓰인다.

02 숫자와 명사가 하이픈으로 연결되어 형용사의 역할로 쓰이면 항상 단수로 취급한다.

03 무생물 주어가 포함된 문장을 해석할 때는 때, 조건, 양보, 이유의 부사(구)로 해석한다.

04 'to + one's + 감정표시 명사'가 오면 '~하게도'라고 해석한다.

07-4 일반적인 대명사의 용법

01 She gave me **a present. It** was wonderful. 그녀는 나에게 선물을 주었다. 그것은 아름다웠다.

She doesn't have **a bag**, so she needs to buy **one**. 그녀는 가방이 없다. 그래서 하나를 사야 한다.

02 **This** is my room and **that** is my sister's. 이것은 내 방이고, 저것은 내 동생의 방이다.

03 **It** rained last night. 어젯밤에 비가 왔다.

04 I have **some** money. 나는 약간의 돈이 있다.

Do you have **any** books? 책이 좀 있나요?

01 it은 같은 종류의 것을 가리키는 데 반해서, one은 같은 종류의 물건을 가리키는 대명사이다.

02 말하는 사람을 기준으로 this[these]는 '이것'이라는 뜻으로 가까운 것을 가리키고, that[those]은 '저것'이라는 뜻으로 먼 것을 가리키는 대명사이다.

03 it은 비인칭주어로 쓰인 것으로 날씨, 시간, 거리, 요일, 명암 등을 나타낼 때 쓰인다.

04 some은 긍정문에, any는 의문문 • 부정문 • 조건문에 쓰인다.

07-5 주의해야 할 대명사의 용법

01 **Each girl does** her best in everything. 소녀들은 각자 모든 일에 최선을 다하고 있다.

Every bottle is full of water. 모든 병에 물이 채워져 있다.

02 She has two sons, **one** is a doctor and **the other** is a musician.

그녀는 아들이 둘 있는데, 한 명은 의사고 다른 한 명은 음악가이다.

Some students like the English teacher but **others** don't.

어떤 학생들은 그 영어 선생님을 좋아하지만, 어떤 학생들은 싫어한다.

There are three flowers. **One** is a rose, **another** is a lily, and **the third** is a tulip.

여기 세 송이 꽃이 있다. 하나는 장미이고, 또 하나는 백합이며, 세 번째는 튤립이다.

03 A: I am tired. 나는 피곤하다.

B: **So am I**. = I am also tired. 나도 그래.

01 each, every는 의미상으로는 복수이지만 단수로 취급한다.

02 두 개가 있는 경우 : one(하나는), the other(다른 하나는)

세 개가 있는 경우 : one(하나는), another(또 하나는), the third(세 번째는)

여러 개가 있는 경우 : one(하나는), the others(나머지 전부는)

some(몇몇은), other(다른 것들은)/the others(나머지 전부는)

03 'so + 동사 + 주어'는 '역시 ~하다', 'so + 주어 + 동사'는 '정말로 ~하다'를 의미한다.

07-6 재귀대명사

01 Mary seated **herself** on the chair. Mary는 의자에 앉았다.

I **myself** finished my homework. 나는 숙제를 끝냈다.

02 Did you **enjoy yourself** at the party? 파티는 즐거웠습니까?

The door opened **of itself**. 그 문이 저절로 열렸다.

Michael was **beside himself** with sorrow. Michael은 슬픔으로 미칠 지경이었다.

01 문장이나 절에서 주어가 목적어로 다시 쓰이는 것을 재귀대명사라고 하는데, 재귀적인 용법과 강조적인 용법 두 가지가 있다.

02 재귀대명사에는 관용적으로 쓰이는 표현이 있다.

pride oneself on(자랑하다), by oneself(혼자서), for oneself(혼자 힘으로), of itself(저절로), beside oneself(미친), accustom oneself to(~에 익숙하다)

Let's Drill

정답 및 해설 p. 20~21

A 다음 괄호 안에서 어법에 맞는 형태를 고르시오.

1. She solved the problem (her, herself).
2. Each of the boys (has, have) his own racket.
3. The poor (is, are) always hungry.
4. (It, That) was very dark in the room.

B 다음 빈칸에 가장 적절한 것을 쓰시오.

1. He was beside _____ with joy. 그는 기뻐서 제정신이 아니었다.
2. Some say yes, and _____ say no. 찬성하는 사람도 있고, 반대하는 사람도 있다.
3. She hit him on _____ head. 그녀는 그의 머리를 때렸다.

C 다음 빈칸에 들어갈 말로 가장 적절히 짝지어진 것은?

> John has three pencils. One is a blue, _____ is a red, and _____ is a black.

① the second, the other　　② another, the third
③ two, other　　④ another, the rest
⑤ the second, other

D 진하게 표시된 부분에 유의해서 다음 문장을 해석하시오.

1. Mary loved John, **so did he**.
2. He lives **by himself**.
3. **To her sorrow**, he went abroad.
4. **The blind** aren't always unhappy.

1

(A), (B), (C)의 각 네모 안에서 어법에 맞는 표현으로 가장 적절한 것은?

I learn new things about myself every day. I learn about how my body grows. I learn what happens when I cut (A) me/myself . I learn that my body heals (B) it/itself . I know I will have to do new things as I (C) grow/will grow up. I will meet many people and visit many places.

	(A)	(B)	(C)
①	me	it	grow
②	myself	itself	grow
③	me	it	will grow
④	myself	itself	grow
⑤	me	itself	will grow

2

다음 글의 밑줄 친 부분 중, 어법상 틀린 것은?

What are some of the animals that live in Canada? To find the answer, all you have to do ① is to look at Canada's money. When the nation became ② one hundred years old in 1967, it ③ decided to honor its animals ④ by putting their pictures on some of its coins and bills. For example, you can find robins on the two-dollar-bill, and a caribou on the ⑤ twenty-five-cents coin and so on. This illustrates how much the Canadians value them.

3 (A), (B), (C)의 각 네모 안에서 어법에 맞는 표현으로 가장 적절한 것은?

Going from a big, modern city to many tiny beautiful villages (A) is /are a strange adventure. Pauline found (B) this/ these out when she went with her brother, Robert, to visit a fishing village in Africa — the village of (C) his/their grandfather.

	(A)	(B)	(C)
①	is	this	their
②	is	these	his
③	are	this	his
④	are	these	their
⑤	is	these	his

4 다음 글의 밑줄 친 부분 중, 어법상 틀린 것은?

① Apples are a favorite food all over the world. People everywhere eat them. So apples are used in many ways. People like most of all to eat them fresh. ② Some are dried, canned, or frozen. ③ The other are made into tasty dishes such as apple pie, baked apples, ④ candied apples, and apple cakes. Apples are also made into jelly, apple butter, and several fruit ⑤ drinks.

8. 관계사

08-1 관계대명사

01 Tom is **a boy. He** writes well. Tom은 소년이다. 그는 글을 잘 쓴다.

→ Tom is a boy **who** writes well. Tom은 글을 잘 쓰는 소년이다.

02 I know the man **who** is very handsome. 나는 매우 잘생긴 남자를 알고 있다.

Basketball is the sport **which** I am fond of. 농구는 내가 좋아하는 운동이다.

This is a lady **whose** son is a doctor. 이분은 아들이 의사인 부인이다.

01 관계대명사는 '접속사 + 대명사'의 역할을 하는 것으로 형용사절을 이끌어 앞의 명사(선행사)를 수식한다.

02 관계대명사 중에 선행사가 사람이면 who를 쓰고, 사물이면 which를 쓴다. 이때 격에 따라서 who는 주격(who)—목적격(whom 이나 who)—소유격(whose)으로 쓰이고, which는 주격(which)—목적격(which)—소유격(whose나 of which)으로 쓰인다.

08-2 관계대명사의 일반적인 용법

01 She bought a doll **which** has blue eyes. 그녀는 파란 눈의 인형을 샀다.

She bought a doll, **which** has blue eyes. 그녀는 인형을 샀는데, 그 인형은 파란 눈이다.

02 The lady **you met** is a professor of music. 네가 만났던 그 여자는 음악 교수이다.

He is a boy **playing** guitar. 그는 기타를 연주하고 있는 소년이다.

01 관계대명사 앞에 콤마(,)가 없는 경우 제한적(한정적) 용법이라고 하는데 해석을 할 때는 관계사절 전체를 묶어서 선행사를 수식해 주면 된다. 또한 콤마(,)가 있는 경우를 계속적 용법이라고 하는데 이는 관계대명사를 전후로 두 문장으로 나누어서 해석해 준다.

02 관계대명사가 타동사나 전치사의 목적격으로 쓰일 때와, '주격 관계대명사 + be동사'는 생략할 수 있다.

08-3 관계대명사 that

01 I met **the girl that[who]** worked at the hospital. 나는 그 병원에서 일했던 소녀를 만났다.

This is **house that[which]** I want to buy. 이것은 내가 사고 싶은 집이다.

02 He is **the first** man **that** ever used this word. 그는 이 말을 사용한 최초의 사람이다.

This is **the very** book **that** I have lost. 이것은 내가 잃어 버렸던 바로 그 책이다.

All that are in bed don't have quiet rest. 잠자리에 든 사람 모두가 편하게 쉬고 있는 것은 아니다.

03 I keep friends with the writer **that** is criticized severely.

나는 심하게 비판받는 그 작가와 친구 관계를 유지하고 있다.

---

01 that은 선행사가 사람, 사물, 동물일 때 모두 쓸 수 있는 관계대명사다.

02 선행사에 형용사의 최상급, 서수, the only, the very, all, any, every, no가 있을 때 주로 관계대명사 that을 쓰며, 선행사가 '사람 + 사물', 의문사가 있는 의문문, 의문대명사일 때도 that을 쓴다.

03 관계대명사 that은 계속적 용법으로 쓸 수 없고, 소유격이 없다.

08-4 관계대명사 what

01 **What** you say is always true. 당신이 말씀하시는 것은 항상 옳습니다.

He wants to know **what** her name is. 그는 그녀의 이름이 무엇인지 알고 싶어 한다.

02 It was getting dark, **what was worse**, they got lost.

어두워지고 있었고, 더욱 나쁜 것은, 그들은 길을 잃어 버렸다.

She is **what is called** a 'genius'. 그녀는 소위 말하는 '천재'이다.

Water **is to** fish **what** air **is to** man. 물과 물고기의 관계는 공기와 사람의 관계와 같다.

---

01 관계대명사 what은 선행사를 포함하는데, 명사절을 이끌어서 문장에서 주어·보어·목적어의 역할을 한다. '무엇'이라고 해석되는 의문대명사 what과 구별된다.

02 관계대명사 what은 관용적으로 쓰이는 표현이 있다.

what is called(소위), what is better(더욱 좋은 것은), what is worse(더욱 나쁜 것은), A is to B what C is to D(A와 B의 관계는 C와 D의 관계와 같다)

08-5 복합관계대명사와 유사관계대명사

01 **Whoever** comes will be welcome. 오시는 분은 누구나 환영합니다.

You may take **whichever** you like. 네가 좋아하는 것은 어느 것이나 가져도 좋다.

02 **Whatever** you may do, do it well. 네가 무엇을 하더라도 그것을 잘해라.

03 There is no rule **but** has an exception. 예외 없는 법칙은 없다.

01 복합관계대명사는 '관계대명사 + ever'의 형태로 명사절을 이끌게 되면 '~하는 사람[것]은 ~라도' 라는 뜻으로 해석된다.

02 복합관계대명사가 부사절을 이끌면 양보의 의미로 '~하더라도'라고 해석된다.

03 원래 접속사의 역할을 하는 as, but, than 등이 대명사의 역할도 같이 하고 있을 때, 이를 유사관계대명사라고 한다.

08-6 관계부사

01 I don't know the day **when** he will come back. 나는 그가 돌아오는 날을 알지 못한다.

The park **where** we planted pine trees belongs to the city.

우리들이 소나무를 심은 공원은 시의 소유이다.

I can't tell you (the reason) **why** she came to me. 나는 그녀가 나에게 찾아온 이유를 말할 수 없다.

02 **However** carefully I write, I sometimes make mistakes. 아무리 주의하여 글을 써도 나는 때때로 실수를 한다.

Whenever I am in trouble, I consult him. 곤경에 빠져 있을 때, 나는 언제나 그와 의논한다.

01 관계부사는 '접속사 + 부사'의 역할을 하는 것이다. 이때 관계대명사절과 달리 관계부사가 이끄는 절은 완전한 문장이 성립된다. 또한 관계부사나 선행사 중에 어느 한 쪽이 없어도 뜻이 분명한 경우 둘 중의 하나를 생략할 수 있다.

02 '관계부사 + ever'로 쓰여 양보절을 이끄는 것을 복합관계부사라고 한다. 주의할 것은 why는 복합관계부사가 없다는 것이다.

Let's Drill

정답 및 해설 p. 22~23

A 다음 괄호 안에서 어법에 맞는 형태를 고르시오.

1. This is a bird (who, which) cannot fly.
2. This is the man (who, which) played the piano.
3. We love (what, that) is true.
4. He is the very man (which, that) I've been looking for.

B 다음 빈칸에 가장 적절한 것을 쓰시오.

1. This is the house in which she lives.
   = This is the house _____ she lives.
   이곳은 그녀가 사는 집이다.

2. _____ is worse, she is in the hospital.
   더욱 나쁜 것은 그녀가 입원해 있다는 것이다.

3. She has more money _____ is necessary.
   그녀는 필요 이상의 돈을 가지고 있다.

C 다음 밑줄 친 부분 중 문법적 성격이 <u>다른</u> 하나는?

① Jacy is the only girl <u>that</u> can do it.
② The fact is <u>that</u> she is beautiful.
③ I have done all <u>that</u> I can.
④ This is the house <u>that</u> she lives in.
⑤ Armstrong was the first man <u>that</u> landed on the moon.

D 진하게 표시된 부분에 유의해서 다음 문장을 해석하시오.

1. He is, **what we call,** a learned man.
2. This is the house **in which** I live.
3. **Whoever** said so, it is false.
4. She had a son**, who** became a teacher.

1 다음 글의 밑줄 친 부분 중, 어법상 틀린 것은?

Off the southern tip of Malaysia, across the bay from Singapore, ① lie two Indonesian islands ② who have very strong traditional cultures. The names of the islands ③ are Bintan and Penyengat. They were very important during the early colonial period but later almost ④ forgotten. Recently, they are once again attracting outside attention. People ⑤ living in the islands are changing and accepting modern ways, but their culture remains the same as it was hundreds of years ago.

2 다음 글의 밑줄 친 부분 중, 어법상 틀린 것은?

When I first came to New York, I had ① which I thought was a brilliant idea, a shortcut to success. It was this: I ② would study how the famous actors of that day—John Drew, Walter Hampden, and Otis Skinner—succeeded. Then I would imitate ③ the best points of each one of them. How silly! I ④ had to waste years of my life imitating ⑤ other people before it came to my mind that I couldn't possibly be anyone else, and for worse, I had to play my own instrument in the orchestra of life.

3 (A), (B), (C)의 각 네모 안에서 어법에 맞는 표현으로 가장 적절한 것은?

Most hot air balloons are bigger than a house. They can float (A) because/ because of hot air is lighter than cool air. A wind machine fills the balloons with air, (B) that/which is then heated by a small burner. You can't really steer a ballon. A pilot makes it go up or down until the wind pushes it in the right direction. Passengers ride in a basket (C) attached/attaching to the bottom of the ballon.

	(A)	(B)	(C)
①	because	that	attached
②	because	which	attached
③	because of	that	attaching
④	because of	that	attached
⑤	because of	which	attaching

4 다음 글의 밑줄 친 부분 중, 어법상 틀린 것은?

Great leaders must inspire their followers ① to fight for what they believe in. They must have high standards of personal conduct and ② set an example by their actions. They don't have to use more words ③ than is needed. They must be determined; they cannot ④ be discouraged by the problems ⑤ what they encounter. They must prepare to fight a long battle if necessary.

9. 가정법

09-1 가정법 과거

01 If I **were** rich, I **could buy** the doll. 내가 부자라면, 나는 그 인형을 살 수 있을 텐데.

= As I am not rich, I can't buy the doll. 나는 부자가 아니기 때문에, 그 인형을 살 수 없다.

02 If he **were** taller, he **'d be** a champion. 만일 그가 키가 더 크다면, 챔피언이 될 텐데.

If he **had** a watch, he **would give** it to me. 만일 그가 시계를 가지고 있다면, 나에게 줄 텐데.

01 가정법 과거는 현재 사실에 반대되는 소망, 가정, 상상을 나타낼 때 쓰인다. 형태는 과거로 쓰였지만, 현재 사실의 반대를 가정하는 것이므로 해석은 현재로 해 준다. 'if + 주어 + 동사의 과거형 ~, 주어 + 조동사의 과거형 + 동사원형 …'의 형태로 쓰인다.

02 가정법 과거에서 be동사는 인칭에 관계없이 were를 쓰는 것이 원칙이다. 가정법 과거의 주절에 쓰이는 조동사의 과거형은 그 해석에 맞게 적절히 사용하면 된다.

09-2 가정법 과거완료

01 If it **had been** fine yesterday, I **would have gone** there.

만일 어제 날씨가 맑았다면, 나는 거기에 갔을 텐데.

= As it was not fine yesterday, I didn't go there. 어제 날씨가 맑지 않아서, 나는 거기에 가지 않았다.

If I **had gone** to the party last night, I **would have seen** Jane.

만일 어젯밤에 파티에 갔더라면, 나는 Jane을 봤을 텐데.

02 **Had I known** you didn't have a key, I wouldn't have been there.

네가 열쇠를 가지고 있지 않다는 것을 알았다면, 나는 거기에 가지 않았다.

01 가정법 과거완료는 과거 사실에 반대되는 소망, 가정, 상상을 나타낼 때 쓰인다. 형태는 과거완료로 쓰였지만, 과거의 사실을 가정하는 것이므로 해석은 과거로 한다. 'if + 주어 + had + 과거분사 ~, 주어 + 조동사의 과거형 + have + 과거분사 …'의 형태로 쓰인다.

02 if가 생략이 되는 경우도 종종 있는데 이런 경우 주어와 had가 도치되어 쓰인다.

09-3 가정법 현재와 미래

01 **If** the report **be[is]** true, I **will punish** him. 만일 그 보고가 사실이라면, 나는 그에게 벌을 줄 것이다.

　　If it **be[is]** rainy tomorrow, I **will stay** at home. 만일 내일 비가 온다면, 나는 집에 머무르겠다.

02 **If** he **should work** harder, he **could succeed**. 만일 그가 더 열심히 공부한다면, 그는 성공할 것이다.

　　If I **were to have** no friends, who **would** I **spend** my time with?

　　만일 친구가 하나도 없게 된다면, 나는 누구와 시간을 보낼 것인가?

---

01 가정법 현재는 현재 또는 미래에 대한 불확실한 상상, 기원, 소망을 나타낼 때 쓰인다. 'if + 주어 + 동사원형[동사의 현재형] ~, 주어 + 조동사의 미래형 + 동사원형 …'의 형태로 쓰인다.

02 현재 또는 미래에 대한 강한 의혹이나 가정을 나타낼 때 가정법 미래를 쓴다. 'if + 주어 + should/were to + 동사원형~, 주어 + 조동사의 과거형 또는 현재형/조동사의 과거형 + 동사원형…'의 형태로 쓰인다.

09-4 주의해야 할 가정법

01 **I wish** I **were** rich. 내가 부자라면 좋을 텐데.

　　I wish she **had told** me the fact. 그녀가 나에게 사실을 말해 주었다면 좋았을 텐데.

02 She looks **as if** she **were** ill. 그녀는 마치 병에 걸린 것처럼 보인다.

　　She looks **as if** she **had been** ill. 그녀는 마치 병에 걸렸던 것처럼 보인다.

03 **If** you **had had** breakfast, you **wouldn't be** hungry now. 아침을 먹었더라면, 너는 배고프지 않을 텐데.

---

01 주어 + wish + 가정법 과거: ~한다면 좋을 텐데(현재 사실의 반대)

　　주어 + wish + 가정법 과거완료: ~했다면 좋았을 텐데(과거에 실현하지 못한 소망)

02 as if + 가정법 과거: 마치 ~인 것처럼

　　as if + 가정법 과거완료: 마치 ~했던 것처럼

03 과거에 일어난 일이 현재에 영향을 미칠 때 조건절은 가정법 과거완료, 주절은 가정법 과거의 형태인 혼합가정법을 쓴다. if절과 주절의 시제가 다르므로 각각의 형태에 맞게 해석해야 한다.

09-5 가정법의 생략 및 대용어구

01 He **would have made** an excellent scientist. 그는 훌륭한 과학자가 되었을 텐데.

02 **But for[without]** your help, I might have failed. 만일 너의 도움이 없었더라면, 나는 실패했을 것이다.

He worked hard, **otherwise** he would have failed. 그는 열심히 일했다. 그렇지 않았다면 실패했을 것이다.

Unless you work hard, you will fail. 만일 네가 열심히 공부하지 않으면 실패할 것이다.

---

01 if절이 생략되고 주절만으로도 가정법을 표현할 수 있는데, 이런 경우는 문맥의 전후 관계와 동사의 형태로 가정법임을 판단해야 한다.

02 가정법은 반드시 if~로만 표현하는 것이 아니다. 조건이나 가정의 의미를 가지는 표현인 but for, otherwise, with[without], unless 등으로도 가정법을 표현할 수 있다.

09-6 다양한 가정법의 표현

01 **If it were not for** your help, he might fail. 만일 너의 도움이 없다면, 그는 실패할 것이다.

If it had not been for your help, he might have failed.

만일 너의 도움이 없었더라면, 그는 실패했을지도 모른다.

He is, **as it were**, a walking dictionary. 그는 말하자면 걸어 다니는 사전이다.

02 **To hear her sing**, you might take her for a young girl.

그녀의 노래를 들어 본다면 너는 그녀를 어린 소녀로 생각할지도 모른다.

Turning to the left, you will find the school. 왼쪽으로 돌면 그 학교가 있을 것이다.

---

01 if it were not for(만일 ~없다면), if it had not been for(만일 ~이 없었더라면), as it were(말하자면) 등의 표현은 관용적으로 쓰이는 가정법의 표현이다.

02 to부정사나 분사도 가정법의 의미를 가지고 있는 경우가 있다.

Let's Drill

정답 및 해설 p. 25~26

A 다음 괄호 안에서 어법에 맞는 형태를 고르시오.

1. If I (would be, were) you, I wouldn't retire.
2. If I had a typewriter, I (would type, typed) it myself.
3. (Were I, I were) you, I wouldn't choose that book.
4. She feels as if she (is, were) flying in the air.

B 다음 빈칸에 가장 적절한 것을 쓰시오.

1. As I don't have more money, I can't buy what I want to eat.
   = If I _____ more meney, I could buy what I want to eat.
   만약 내가 돈이 더 있으면 먹고 싶은 걸 살 수 있을 텐데.

2. If it be fine tomorrow, I _____ have the picnic.
   만일 내일 날씨가 맑다면, 소풍 갈 것이다.

3. If she had studied hard, she would _____ the test.
   만일 그녀가 열심히 공부했더라면, 그녀는 그 시험에 합격했을 텐데.

C 다음 글의 빈칸에 들어갈 가장 적절한 것은?

> I wish I _____ the fact.
> 나는 그 사실을 몰랐던 것이 유감이다.

① know
② knew
③ was knowing
④ had known
⑤ have known

D 진하게 표시된 부분에 유의해서 다음 문장을 해석하시오.

1. **With his help**, I would have succeeded.
2. **But for** air and water, we could not live.
3. If he **should** work harder, he **could** succeed.
4. **Unless** you go back home early, you will be punished.

1 다음 글의 밑줄 친 부분 중, 어법상 틀린 것은?

Some people associate the giving of compliments with a kind of weakness. The thinking is: If I were to give too many compliments, ① <u>it meant that</u> I wasn't doing enough or I wasn't good enough. A woman once ② <u>told me that</u> she didn't want to tell her husband ③ <u>she appreciated</u> his attempts to help out around the house. The reason was that ④ <u>she thought</u> she did far more than he did, and if she gave him a compliment, he would think he's doing more than she. This reason ⑤ <u>is seriously flawed</u>. People need, thrive on, and appreciate compliment. Realize the importance of giving compliments and begin doing so.

2 다음 글의 밑줄 친 부분 중, 어법상 틀린 것은?

Last night Mr. and Mrs. Miller ① <u>tried to bake</u> a cake. So they ② <u>looked up a book</u> to know ③ <u>how to bake</u> a cake. But they didn't follow the way when they baked a cake. They really wish they had followed. If they had followed the way, they ④ <u>would use</u> the right ingredients. And if they had used the right ingredients, the cake ⑤ <u>wouldn't have been</u> as hard as rocks. And their children could have eaten deliciously.

3 (A), (B), (C)의 각 네모 안에서 어법에 맞는 표현으로 가장 적절한 것은?

There were three friends stranded in an island. Exploring the island, the three men found a bottle so they opened it. A genie came out, and she said that she would grant them three wishes. The first man said "I wish I (A) am/were with my family." Then he was with his family. The second guy said "I wish I (B) am/were in the bar with my old friends." Then, he was gone. The third man said, "I'm lonely. I wish my friends (C) are/were here." His two friends were back in the island.

	(A)	(B)	(C)
①	am	am	are
②	were	am	were
③	am	were	are
④	am	am	were
⑤	were	were	were

4 다음 글의 밑줄 친 부분 중, 어법상 틀린 것은?

Americans save time ① <u>carefully</u>. "We are slaves to nothing but the clock," it has been said. Time is treated as if it ② <u>is</u> almost something solid. We budget it, save it, steal it, kill it, cut it, account it; we also ③ <u>charge for</u> it. It is a precious product. Many people ④ <u>have</u> a rather strong sense of the shortness of each lifetime. Once the sands have run out of a person's hourglass, they ⑤ <u>cannot be replaced</u>. Americans want to count every minute.

10. 비교와 일치

10-1 원급 비교

01 Mary is **as tall as** Tom. Mary는 Tom만큼 키가 크다.

My house is **not so large as** yours. 나의 집은 너의 집만큼 크지는 않다.

02 She ate **as** much **as possible**. 그녀는 가능한 한 많이 먹었다.

He spent two **times as much** money **as** his brother. 그는 동생이 쓴 돈의 2배나 되는 돈을 썼다.

He is **not so much** a doctor **as** a writer. 그는 의사라기보다는 작가이다.

---

01 as ~ as 사이에 형용사나 부사의 원급을 써서 표현하는 것을 원급 비교라고 한다.

원급 비교의 부정은 'not so ~ as'로 표현한다.

02 as ~ as possible(가능한 한 ~한), ~ times as much A as B(B의 ~배나 되는 A), not so much A as B(A라기보다는 B인)
의 표현은 원급을 이용한 대표적인 비교 표현이다.

10-2 비교급을 이용한 비교

01 Tom can swim **faster than** Sam. Tom은 Sam보다 빨리 수영할 수 있다.

He is **less** happy **than** you. 그는 너만큼 행복하지 못하다.

02 Health is **far** more important than wealth. 건강이 부보다 훨씬 더 중요하다.

03 She is two years **junior to** me. 그녀는 나보다 두 살 어리다.

---

01 둘을 비교하여 'A가 B보다 더 ~하다'라는 의미를 나타내는 비교급은 'A + 비교급 + than + B'를 쓰고, 'A가 B보다 ~하지 않
다'라는 의미를 나타내는 비교급은 'A + less + 원급 + than + B'를 쓴다.

02 비교급은 much, even, still, far, a lot 등의 부사를 써서 강조한다. very는 절대 비교급 강조에 쓰이지 않는다.

03 주로 -or로 끝나는 라틴어에서 온 형용사의 비교급은 than 대신에 to를 쓴다.

10-3 최상급을 나타내는 표현

01 Seoul is **the largest** city in Korea. 서울은 한국에서 가장 큰 도시이다.

= **No city** in Korea is **as** large **as** Seoul. 한국에서는 어떤 도시도 서울만큼 크지 않다.

= **No city** in Korea is **larger than** Seoul. 한국의 어떤 도시도 서울보다는 크지 않다.

= Seoul is **larger than any other city** in Korea. 서울은 한국의 다른 어떤 도시보다 크다.

= Seoul is **as** large **as any other city** in Korea. 서울은 한국의 어떤 도시 못지않게 크다.

01 최상급의 의미는 보통 'the + 최상급'으로 표현한다. 그러나 원급이나 비교급으로도 최상급의 의미를 나타낼 수 있다.

최상급의 의미를 나타내는 원급 • 비교급 표현

- as + 원급 + as + any other + 단수명사
- no + 단수명사~ as + 원급 + as
- no + 단수명사~ 비교급 + than
- 비교급 + than any other + 단수명사

10-4 관용적인 비교 표현

01 **The higher** the prices rise, **the harder** our lives become.
물가가 올라가면 갈수록 우리의 생활은 더욱 더 어려워진다.

02 He is **no more** rich **than** I am. 그가 부자가 아닌 것은 내가 부자가 아닌 것과 같다.

She is **no less** charming **than** her sister. 그녀는 그녀의 여동생 못지않게 매력적이다.

I have **no more than** 1000 won. 내가 가지고 있는 것은 단지 1000원이다.

I have **no less than** 1000 won. 나는 1000원이나 가지고 있다.

I have **not more than** 1000 won. 나는 기껏해야 1000원 가지고 있다.

I have **not less than** 1000 won. 나는 적어도 1000원은 가지고 있다.

01 'the + 비교급 ~, the + 비교급 …'은 '~하면 할수록 점점 더 …하다'의 뜻으로 쓰인다.

02 관용적으로 쓰이는 비교 표현이 있다.

A is no more B than C is(A가 B가 아닌 것은 C가 아닌 것과 같다), A ~ no less + 원급 + than + B(A는 B 못지않게 ~ 하다), no more than(단지~), not more than(기껏해야), no less than(~만큼이나), not less than(적어도), sooner or later (조만간), more or less(다소, 얼마간), no better than(~나 다름없는) 등의 관용 표현은 외워 두어야 한다.

10-5 시제 일치와 그 예외

01 I **think** that she is happy. 나는 그녀가 행복하다고 생각한다.

02 He **said** that the earth **moves** around the sun. 그는 지구가 태양의 주위를 돈다고 말했다.

She **said** that she **goes** to church every Sunday. 그녀는 일요일마다 교회에 간다고 말했다.

We **learned** that Columbus **discovered** America in 1492.

우리는 1492년에 Columbus가 아메리카를 발견했다고 배웠다.

01 주절의 동사의 시제를 종속절의 동사의 시제가 따라야 하는 규칙을 시제 일치라고 한다.

02 불변의 진리, 사실, 속담, 현재의 습관적 행위는 항상 현재시제로, 역사적 사실 등은 항상 과거시제로 쓰므로 시제 일치를 따르지 않아도 된다.

10-6 수의 일치

01 **Bob and Jane are** playing tennis. Bob과 Jane은 테니스를 치고 있다.

Bread and butter is my favorite. 버터 바른 빵은 내가 특히 좋아하는 것이다.

02 **A number of cars are** running. 많은 자동차가 달리고 있다.

The number of cars in Seoul **is** increasing. 서울에서는 자동차의 수가 증가하고 있다.

03 **Every boy was** silent. 모든 소년이 조용했다.

Each of them has his pride. 그들 각자는 자존심이 있다.

04 **Either** Jane **or** you **have** to pay the bill. Jane이나 너 둘 중에 한 사람은 그 계산서를 지불해야만 한다.

01 주어가 단수냐 복수냐에 따라서 동사의 수가 결정이 되는 것을 수의 일치라고 하는데, and로 연결된 주어는 각각의 개념을 나타낼 때는 복수 취급을, 하나의 개념을 나타낼 때는 단수 취급을 한다.

02 'a number of + 복수명사'는 복수 취급하고, 'the number of + 복수명사'는 단수 취급을 한다.

03 every나 each는 의미상으로 보면 복수로 쓰일 것 같지만 항상 단수로 취급해 준다.

04 'either[neither] A or B'는 B에 동사의 수를 일치시킨다.

Let's Drill

정답 및 해설 p. 28~29

A 다음 괄호 안에서 어법에 맞는 형태를 고르시오.

1. He worked as (hard, harder) as he could.
2. She has (much, more) money than he.
3. He is the (richest, richer) man in Korea.
4. She is superior (to, than) me in study.

B 다음 빈칸에 가장 적절한 것을 쓰시오.

1. The higher we go up, _____ _____ it becomes.
   더 높이 올라가면 갈수록, 더욱 더 추워진다.

2. This dictionary contains _____ _____ _____ 20,000 words.
   이 사전은 겨우 2만 단어가 수록되어 있다.

3. Get up as early as _____. 될 수 있는 한 일찍 일어나라.

C 다음 문장 중에 그 뜻이 <u>다른</u> 하나는?

① He is the bravest soldier in the world.
② No other soldier is so brave as he in the world.
③ He is braver than any other soldier in the world.
④ No other soldier is braver than he in the world.
⑤ He is much braver than other soldiers in the world.

D 다음 주어진 문장에서 <u>틀린</u> 곳을 찾아 바르게 고쳐 쓰시오.

1. Father said that time was money.
2. Either you or she have to go there.
3. The number of boys are increasing.

E 진하게 표시된 부분에 유의해서 다음 문장을 해석하시오.

1. A whale is **no more** a fish **than** a horse is.
2. This book is **far heavier than** that.

Real Test

1 다음 글의 밑줄 친 부분 중, 어법상 틀린 것은?

As you know, the chairman ① <u>is visiting</u> our factory next month. Before he comes, a number of things ② <u>needs</u> to be done. The factory sign needs to be replaced and the entire factory ③ <u>needs</u> to be repainted. Please have new blinds installed in all the offices and have the guard-rail replaced. Before the day of the visit, please have all the factory workers' hats ④ <u>cleaned</u> so that they look new. We want ⑤ <u>to</u> make a good impression!

2 다음 글의 밑줄 친 부분 중, 어법상 틀린 것은?

A group of tourists ① <u>reached</u> a small town in the parched Australian wilderness and went into the only cafe for a meal. As they ② <u>were about to leave</u>, they noticed clouds ③ <u>gathering</u> in the sky, so they asked the cafe owner if he thought it would rain.

"I hope so," he replied, ④ <u>looking</u> at the darkening sky. "Not so much for my sake ⑤ <u>than</u> for my six-year-old boy's. I've seen rain."

3 (A), (B), (C)의 각 네모 안에서 어법에 맞는 표현을 골라 짝지은 것은?

Each year, the number of people who own cars (A) is /are rising. More and more roadways are (B) building/being built . We have drive-in movies, drive-in banks, drive -in restaurants. People are becoming too lazy (C) to walk/walking .

	(A)	(B)	(C)
①	is	building	to waik
②	are	building	walking
③	is	being built	to walk
④	are	being built	walking
⑤	are	being built	to walk

4 다음 글의 밑줄 친 부분 중, 어법상 <u>틀린</u> 것은?

More than 2 feet of snow ① <u>fell on</u> Seattle and Denver today, and most of the schools ② <u>were closed</u>. The wind blew up to 75 mph in the northern Rockies. Bad weather was expected in most of the Midwest. But ③ <u>the damages were</u> not so serious. Still there was heavy snow in the Great Lake states. ④ <u>There was</u> still some floods in western New York, where 200 families ⑤ <u>had to leave</u> their homes.

II. 형용사/부사

11-1 형용사의 두 가지 용법

01 This is a **large** house. 이것은 큰 집이다.

You had better wear something **warm**. 당신은 따뜻한 것을 입는 것이 좋다.

02 The book is very **interesting**. 그 책은 매우 재미있다.

I found him **asleep**. 나는 그가 잠든 것을 알았다.

01 형용사가 명사나 대명사의 앞이나 뒤에서 직접 수식하는 것을 한정적 용법이라고 한다.

−thing, −able, 형용사의 최상급, all, every가 붙는 명사를 수식할 경우에는 형용사가 뒤에 위치한다. 어미에 −en이 붙거나, main, lone, live, only, elder 등은 한정적 용법으로만 쓰인다.

02 형용사가 보어로 쓰여서 주어나 목적어를 설명하는 것을 서술적 용법이라고 한다. a−가 붙거나, worth, well, unable, content 등의 형용사는 서술적 용법으로만 쓰인다.

11-2 알아두어야 할 형용사

01 **Many** hands make light work. 일손이 많으면 일이 쉽다.

Much caution does not harm. 많은 주의가 해롭지는 않다.

02 He has **a few** books. 그는 책이 몇 권 있다.

He has **few** books. 그는 책이 거의 없다.

There is **a little** milk in the bottle. 병 안에 우유가 조금 있다.

There is **little** milk in the bottle. 병 안에 우유가 거의 없다.

01 many나 much는 '많은' 이라는 뜻으로 쓰이는데 many는 셀 수 있는 명사와 쓰이고 much는 셀 수 없는 명사와 쓰인다.

02 few[a few]는 셀 수 있는 명사와 쓰이고, little[a little]은 셀 수 없는 명사와 쓰이는데 few, little은 '거의 없다'는 부정적 의미이고, a few, a little은 '조금 있다'는 의미이다.

11-**3** 주의해야 할 형용사의 용법

01 **The rich** are not always happy. 부자라고 해서 반드시 행복하지는 않다.

02 He is a **five-year-old** boy. 그는 다섯 살 된 소년이다.

03 I have **some** time today. 나는 오늘 시간이 좀 있다.

He doesn't have **any** children. 그에게는 아이들이 아무도 없다.

04 He visits me **every two days**. 그는 이틀에 한 번 나를 방문한다.

01 'the + 형용사'는 복수 보통명사나 추상명사로 쓰인다.

02 두 단어 이상이 합쳐서 명사를 수식하는 것을 합성형용사라고 하는데, 이때 명사는 반드시 단수형으로 써야 한다.

03 some이 형용사로 쓰이면 '약간의'라는 뜻으로 긍정문에 사용된다. any도 같은 뜻이지만 부정문, 의문문, 조건문에 쓰인다.

04 'every + 수사 + 명사'는 '매 ~마다'의 의미를 나타낸다.

11-**4** 부사의 일반적인 용법

01 The American spoke **clearly**. 미국인은 말을 분명하게 했다.

It is **very** warm. 날씨가 아주 따뜻하다.

The author writes **very** well. 그 작가는 글을 매우 잘 쓴다.

Happily he did not die. 다행스럽게도 그는 죽지 않았다.

02 He is **very** kind. 그는 매우 친절하다.

You are old **enough** to know better. 너는 더 잘 알만한 나이가 되었다.

03 He **never** comes on time. 그는 결코 제시간에 오는 법이 없다.

He is **always** busy. 그는 항상 바쁘다.

01 부사는 일반적으로 동사, 형용사, 또 다른 부사, 문장 전체를 수식하는 역할을 한다.

02 일반적으로 부사는 수식하고자 하는 말 앞에 위치하지만 enough는 형용사 뒤에서 수식한다.

03 빈도부사(always, usually, often, sometimes, …)는 일반동사 앞이나 be동사, 조동사 뒤에 위치한다.

11-**5** 주의해야 할 부사의 용법

01 His story is **very** interesting. 그의 이야기는 매우 재미있다.

You will feel **much** better soon. 당신은 곧 기분이 훨씬 더 좋아질 것이다.

02 **All** knowledge is **not** good. 모든 지식이 다 좋다고 할 수는 없다.

03 We **gave up the plan**. = We **gave the plan up**. 우리는 그 계획을 포기했다.

We **give up it**, too. (×) 우리는 또한 그것을 포기했다.

We **give it up**, too. (o)

---

01 very, much 모두 '대단히, 훨씬'의 뜻이지만 very는 형용사 • 부사의 원급, 현재분사를 수식하고, much는 비교급, 과거분사, 동사를 수식한다.

02 all, every, both, always, wholly 등이 부정어와 함께 쓰이면 '~한 것도 있고 아니 것도 있다'는 뜻의 부분 부정이 된다.

03 '타동사 + 부사'로 이루어진 어구에서 그 목적어가 명사이면 부사는 명사의 앞이나 뒤에 올 수 있지만 대명사인 경우 부사는 반드시 대명사 뒤에 위치해야 한다.

11-**6** 혼동하기 쉬운 부사

01 He caught the ball **cleanly**. 그는 정확하게 공을 잡았다.

02 The crops are **early** this year. 올해는 수확이 이르다.

The farmer works **early** and late. 농부는 아침부터 늦게까지 일했다.

03 He came back **late**. 그는 늦게 돌아왔다.

He has come back **lately**. 그는 최근에 돌아왔다.

---

01 대부분 형용사에 −ly가 붙으면 부사가 된다.

02 형용사와 부사로 함께 쓰이는 단어가 있다.

early(형: 이른, 부: 일찍이), fast(형: 빠른, 부: 빨리), hard(형: 단단한, 부: 열심히)

well(형: 건강한, 부: 훌륭히), deep(형: 깊은, 부: 깊게), enough(형: 충분한, 부: 충분하게)

03 똑같은 어형에서 나온 것이지만, 의미상으로 차이가 있는 혼동하기 쉬운 부사가 있다.

near(가까이)/nearly(거의), pretty(꽤)/prettily(아름답게), free(무료로)/freely(자유롭게),

late(늦게)/lately(최근에), hard(열심히)/hardly(거의~않는)

Let's Drill

정답 및 해설 p. 31~32

A 다음 괄호 안에서 어법에 맞는 형태를 고르시오.

① She looks (sad, sadly).

② How (many, much) money have you got?

③ His grandfather are still (live, alive).

④ The tennis match was (very, much) exciting.

B 다음 빈칸에 가장 적절한 것을 쓰시오.

1. The rich are _____ always happy. 부자라고 해서 모두 행복한 것은 아니다.

2. _____ of these tools are quite useless. 이 도구들 중 일부는 전혀 쓸모가 없다.

3. The Olympic games take place _____ four years.
   올림픽 경기는 4년마다 한 번씩 열린다.

C 다음 해석에 맞게 빈칸을 채울 때 가장 적절한 것은?

I was _____ surprised at his failure.
나는 그가 실패한 것에 대해서 거의 놀라지 않았다.

① few   ② little
③ a few   ④ a little
⑤ lots

D 다음 주어진 문장에서 빈도부사 usually가 들어갈 자리로 가장 적절한 곳은?

I ① eat ② breakfast ③ at ④ eight ⑤.
나는 보통 8시에 아침을 먹는다.

E 진하게 표시된 부분에 유의해서 다음 문장을 해석하시오.

1. We must distinguish between **the true** and **the false**.

2. Come **near** and watch.

3. He was **nearly** drowned.

4. The meat is not cooked **enough**.

Real Test

1 다음 글의 밑줄 친 부분 중, 어법상 틀린 것은?

My wife and I ① remark sometimes that if we had met in the era before feminism, ② we'd both be pretty unhappy. As breadwinner, I'd feel deprived of time with my children. My wife, an ambitious woman ③ who loves her career, would feel frustrated as a stay-at-home mother. Since each of us would want ④ what the other was doing, we would probably resent each other. Instead, the freedom to switch gender roles ⑤ has allowed each of us to gravitate toward what we really want.

2 다음 글의 밑줄 친 부분 중, 어법상 틀린 것은?

I love ① to watch TV! I buy a television guide every week because I want to find out what programs are on TV. Movies are my favorite, so I look up the ones I can see that week. ② As soon as I get home from work, I get something to eat and drink, and I ③ turn on the TV. I like to watch rock videos on TV, so I always ④ turn the TV up as high as possible when a good video is on. When my wife comes home from work, she usually ⑤ turns down it. She says that it's too noisy. Sometimes she turns off the TV. She says that she hates TV. My wife doesn't understand me. No one understands a couch potato!

3 다음 글의 밑줄 친 부분 중, 어법상 틀린 것은?

Our own culture seems very ① <u>naturally</u> to us. We feel that the way that we do things is only right way to do ② <u>them</u>. Other people's cultures ③ <u>often</u> make us laugh or feel disgusted. We may laugh at clothing that seems ridiculous to us. Many people cannot ④ <u>accept</u> eating insects. The idea that a man can have more than one wife or that a woman can have more than one husband may ⑤ <u>shock</u> other culture.

4 다음 글의 밑줄 친 부분 중, 어법상 틀린 것은?

① <u>Most people</u> divide the world into two categories: things that are good for me and things that are bad for me. This system works as a general rule, but the most ② <u>interesting things</u> do not fit easily into one of the two categories. For example, there is yogurt. ③ <u>Much advertisements</u> claim it is a health food, but a recent study ④ <u>points</u> out that one 8-ounce serving of flavored yogurt ⑤ <u>contains</u> 9 teaspoons of sugar.

12. 접속사

12-1 접속사란?

01 I laugh, **and** so did he. 나는 웃었고, 그도 웃었다.

He says **that** he is busy. 그는 바쁘다고 말한다.

Both you **and** he are wrong. 너와 그 둘 다 틀렸다.

02 They travel to Europe **as if** they were going for a walk.

그들은 마치 산책이라도 가는 것처럼 유럽으로 여행간다.

01 접속사는 단어와 단어, 구와 구, 절과 절을 연결시키는 역할을 한다.

접속사는 그 용법에 따라서 등위접속사, 종속접속사, 상관접속사가 있다.

02 as if나 as soon as와 같이 두 낱말 이상이 모여서 하나의 접속사와 같은 역할을 하는 것을 접속사구라고 한다.

12-2 등위접속사

01 I met an old man **and** he was my old teacher. 나는 한 노인을 만났는데 그분은 나의 은사였다.

He is poor **but** honest. 그는 가난하지만 정직하다.

Would you take tea **or** coffee? 차를 드시겠습니까? 커피를 드시겠습니까?

02 **Work hard, and** you will succeed. 열심히 공부해라, 그러면 성공할 것이다.

Try hard, or you will fail in life. 열심히 노력해라, 그렇지 않으면 인생에서 실패할 것이다.

01 접속사 중에 단어와 단어, 구와 구, 절과 절을 대등하게 연결시켜 주는 역할을 하는 것을 등위접속사(and, but, or, so 등)라고 한다.

02 '명령문 + and'는 '~해라, 그러면 ~할 것이다'라는 뜻이고, '명령문 + or'는 '~해라, 그렇지 않으면 ~일 것이다'라는 의미로 조건의 뜻을 나타낸다.

12-**3** 상관접속사

01 **Not** money **but** wisdom is what I want. 내가 원하는 것은 돈이 아니라 지혜이다.

02 **Not only** you **but also** I am very busy. 너뿐만 아니라 나도 매우 바쁘다.

Jim speaks German **as well as** English. Jim은 영어뿐만 아니라 독일어도 한다.

03 It's **either** the red one **or** the blue one that was sold. 팔린 것은 빨간 것 아니면 파란 것이다.

He can **neither** read **nor** write. 그는 읽을 줄도 쓸 줄도 모른다.

01 상관접속사는 둘 이상의 단어가 상응관계를 이루어서 접속사의 역할을 하는 것이다.

not A but B: A가 아니라 B이다

02 'not only A but (also) B'와 'B as well as A'는 모두 'A뿐만 아니라 B도' 라는 뜻으로 쓰이는데 B에 동사의 인칭과 수를 일치시킨다.

03 'either A or B'는 'A나 B나 어느 한 쪽'의 뜻이고 'neither A nor B'는 'A도 B도 ~아닌'의 뜻으로 동사는 B에 인칭과 수를 일치시킨다.

12-**4** 명사절을 이끄는 종속접속사

01 **That** hard work is valuable is obvious. 열심히 일하는 것이 가치있다는 것은 분명하다.

Nobody can tell **if** she is coming. 그녀가 올지 안 올지 아무도 말할 수 없다.

It is not certain **whether** he will come **or not**. 그가 올지 안 올지는 확실하지 않다.

02 I will tell you **when** he **will come**. 나는 네게 그가 언제 올 것인지를 말해 주겠다. – 명사절

I will tell you, **when** he **comes**. 그가 오면 너에게 말해 주겠다. – 부사절

01 명사절을 이끄는 접속사에는 that, if, whether, when이 있는데 명사절은 문장에서 주어, 보어, 목적어 역할을 한다.

02 시간이나 조건을 나타내는 부사절에서는 현재시제가 미래시제를 대신하지만, 명사절일 때는 시제 일치를 따라야 한다.

12-**5** 부사절을 이끄는 종속접속사

01 **When** it snows, it is cold. 눈이 올 때는 춥다.

As it was getting dark, we soon turned back. 어두워지기 시작했으므로, 우리는 곧 돌아왔다.

He worked **so** hard **that** he got sick. 그는 너무 열심히 일해서 병이 났다.

Study hard **so that** you **may** pass the examination. 시험에서 합격할 수 있도록 열심히 공부해라.

Though he is rich, he is not contented. 비록 그는 부유하지만 만족해하지는 않는다.

Unless it rains, I go for a walk every day. 비가 오지 않으면, 나는 매일 산책한다.

01 부사절을 이끄는 종속접속사는 때(when, while, before, after, since, …), 원인·이유(as, because, since, now that, …), 결과(so ~ that, such ~ that, …), 목적(so that ~ may[can], in other that ~ may[can], …), 양보(though, even if, …), 조건(if, unless, in case …) 등이 있다.

12-**6** 주의해야 할 접속사의 용법

01 I told him so **as soon as** he came. 나는 그가 오자마자 곧 그에게 그렇게 말했다.

= **No sooner** had he come **than** I told him so.

= **Scarcely[Hardly]** had he come **when[before]** I told him so.

02 He worked hard **lest** he **should** fail. 그는 실패하지 않기 위해서 열심히 일했다.

= He worked hard **for fear that** he **should** fail.

= He worked hard **so that** he **might not** fail.

03 **No matter what** he says, I don't trust him. 그가 무슨 말을 하든지 나는 그를 신뢰하지 않는다.

= **Whatever** he says, I don't trust him.

01 '~하자마자'는 'as soon as~, no sooner ~ than, scarcely[hardly] ~when[before]'으로 쓸 수 있는데, 부정어가 앞에 나올 경우 주어와 동사가 도치된다.

02 '~하지 않기 위해서'라는 뜻으로 쓰이는 어구는 'lest ~ should, for fear that ~ should, so that ~ 조동사의 과거 + not'이 있다.

03 no matter what = whatever는 '뭐라고 하든지'의 뜻으로 쓰인다.

Let's Drill

정답 및 해설 p. 34~35

A 다음 괄호 안에서 어법에 맞는 형태를 고르시오.

1. I neither drink (or, nor) smoke.
2. He is (both, also) honest and diligent.
3. Come at once, (or, so) you will be late.
4. Mr. Kim (so, too) kind that she likes him.

B 다음 빈칸에 가장 적절한 것을 쓰시오.

1. He can ride not only a bike _____ a motorcycle.
   그는 자전거뿐만 아니라 오토바이도 탈 수 있다.

2. The important thing is not money _____ imagination.
   중요한 것은 돈이 아니라 상상력이다.

3. If you don't study harder, you will not succeed.
   = _____ you study harder, you will not succeed.
   만일 열심히 공부하지 않는다면, 너는 성공하지 못할 것이다.

C 다음 주어진 문장 중 그 의미가 <u>다른</u> 하나는?

① I told him so as soon as he came.
② No sooner had he come than I told him so.
③ Scarcely had he come before I told him so.
④ Hardly had he come when I told him so.
⑤ Because he had come, I told him so.

D 진하게 표시된 부분에 유의해서 다음 문장을 해석하시오.

1. **Though** he is a hero, he is humble.
2. **No matter what** he says, don't go.
3. His mother **as well as** his father is dead.
4. Speak louder **so that** everybody **can** hear you.

Real Test

1 다음 글의 밑줄 친 부분 중, 어법상 <u>틀린</u> 것은?

Gasoline prices ① <u>keep going</u> up, the roads are becoming more crowded, and the air is getting more polluted. ② <u>Because of</u> these increasing dangers, people are being urged ③ <u>more and more</u> to use public transportation rather than move about in personal automobiles. ④ <u>Using public transportation</u> has several advantages. It saves not only money but also ⑤ <u>we have energy</u>. Why don't we consider these advantages before pulling the family car out the driveway?

2 다음 글의 밑줄 친 부분 중, 어법상 <u>틀린</u> 것은?

One winter afternoon I wanted to see ① <u>if the river had frozen</u>. It was snowing lightly as I set out. I stayed at the river only a short time because ② <u>when I got there</u>, It had begun to snow heavily. I started walking back home very fast because the snow was ③ <u>getting thicker and heavier</u>. Soon it was snowing ④ <u>so that heavily</u> I couldn't see anything ahead of me except the footprints I had made on my way the river. I kept hoping I would soon see the lights from our house. Then I noticed my footprints were gone; ⑤ <u>they'd been covered</u> up completely by falling snow. I was lost.

3 다음 글의 밑줄 친 부분 중, 어법상 틀린 것은?

There is a difference between being lonely and being alone. Quite often a person wants to be alone, ① <u>so that he or she can think</u>, reflect, or simply rest. That is different from being lonely, ② <u>when someone feels sad</u> and cut off. However, being with other people is not necessarily a guarantee ③ <u>that one will not</u> feel lonely. "I was never so lonely as ④ <u>when walked</u> through the crowded streets of Paris", wrote one visitor. The point is that we need to have contact with the right people — ⑤ <u>those who are</u> important to us.

4 다음 글의 밑줄 친 부분 중, 어법상 틀린 것은?

① <u>To be sure</u>, no one can prove that life exists beyond earth. Moreover, two or three decades ago it ② <u>was</u> pure speculation even to suggest the possibility. But that ③ <u>has changed</u>. With our rapidly growing understanding of the universe has dawned the belief that we ④ <u>are not alone</u>. Not long ago, at a symposium on the subject, an astronomer declared, "The question is ⑤ <u>if not but where</u>."

13. 기타 중요 구문

13-1 도치 구문

01 **Whether it is true or not** I don't know. 그것이 사실인지 아닌지 나는 모른다.

= I don't know **whether it is true or not**.

02 **Never have** I seen such a big horse. 나는 그렇게 큰 말을 본 적이 없다.

03 I worked hard when I was young. 나는 젊었을 때 매우 열심히 일했다.

- **So did I**. 나도 역시 그랬다.
- **So I did**. 정말로 그랬다.

---

01 구문상의 이유 또는 강조를 위해서 주어 앞에 동사나 조동사를 쓰거나, 보어나 목적어를 문두에 쓰는 것을 도치라고 한다.

02 부정어나 부사를 강조하기 위해서 부정어나 부사(구)를 문두에 놓는 경우 주어와 (조)동사의 위치는 도치된다.

03 'so + 동사 + 주어'는 '~도 역시 그렇다'의 뜻이고, 'so + 주어 + 동사'는 '정말로 ~하다'라는 강조의 뜻이다.

13-2 it ~ that 강조 구문

01 Tom broke the window today. Tom은 오늘 유리창을 깼다.

→ **It was** Tom **that** broke the window today. 오늘 그 유리창을 깬 사람은 바로 Tom이었다.

→ **It was** the window **that** Tom broke today. 오늘 Tom이 깬 것은 바로 그 유리창이었다.

→ **It was** today **that** Tom broke the window. Tom이 그 유리창을 깬 것은 바로 오늘이었다.

---

01 주어, 목적어, 부사구 등을 강조하기 위해서 쓰이는 것이 it ~ that 강조 구문인데, 강조하는 방법은 강조하고자 하는 어구를 it ~ that 사이에 써 주고, 나머지는 that 뒤에 그대로 써 주면 된다. 이때 해석은 '…한 것은 ~이다'라고 한다.

13-3 강조 어구에 의한 강조

01 She **does** come to see me every day. 그녀는 정말 매일 나를 만나러 온다.

02 She is **the very** woman I want to see. 그녀는 내가 만나기를 원하는 바로 그 사람이다.

03 What **on earth** do you mean? 도대체 무슨 뜻입니까?

04 It did **not** matter **in the least**. 그것은 조금도 문제가 되지 않았다.

01 동사를 강조할 때는 동사 앞에 조동사 do[does, did]가 온다.

02 very는 형용사나 부사도 강조하지만, the very의 형태로 명사를 강조하기도 한다. 이때 해석은 '바로 그'가 된다.

03 의문사를 강조할 때는 in the world, on earth, ever 등을 의문사 뒤에 쓰면 된다. 이때 해석은 '도대체'라고 한다.

04 부정의 뜻을 강조하는 어구로는 not ~ at all(전혀), not ~ in the least(조금도 ~아니다), not~ by any means(결코 ~이 아니다), not whatever(전혀~이 아니다) 등이 있다.

13-4 간접의문문

01 Do you know **who that man is**? 저 남자가 누구인지 아십니까?

I don't know **who he is**. 나는 그가 누구인지 모른다.

I know **what time it is**. 나는 몇 시인지 안다.

02 Do you think **who** that man is? (×)

→ **Who** do you think that man is? (o) 저 남자가 누구라고 생각합니까?

01 의문사가 이끄는 명사절이 주절의 목적어로 쓰인 경우 이를 간접의문문이라고 한다. 간접의문문의 어순은 '의문사 + 주어 + (조동사) + 동사'의 평서문 어순이 된다.

02 주절에 think, guess, believe 등의 동사가 쓰인 문장의 간접의문문은 의문사가 문장의 맨 앞으로 나온다.

13-5 병렬 구조

01 I like **reading books** and **writing poems**. 나는 책 읽기와 시 쓰는 것을 좋아한다.

By **catching some insects** or **picking up fruit**, they could survive.
곤충을 잡아먹거나 열매를 따먹음으로써, 그들은 생존할 수 있었다.

02 **She** is more intelligent than **he**. 그녀는 그보다 더 똑똑하다.

03 We will move either **in the last spring** or **in the early summer**. 우리는 늦봄이나 초여름에 이사할 것이다.

---

01 등위접속사(and, but, or 등)로 연결된 문장이나 어구는 문법적으로 동일한 형태이어야 한다.

02 비교 구문에서도 비교하려는 대상은 서로 같은 문법적 범주에 속해야 한다.

03 'both A and B, not only A but also B, B as well as A, neither A nor B, either A or B' 등과 같은 상관접속사로 연결되는 어구는 동일한 문법적 기능과 형태이어야 한다.

13-6 무생물 주어 구문

01 This money **enables** me **to buy** the book. 나는 이 돈으로 그 책을 살 수 있다.

02 The letter **reminded** her **of** her childhood days. 그녀는 그 편지를 보고 그녀의 어린 시절이 생각났다.

My illness **prevents** me **from attending** the meeting. 아파서 나는 그 모임에 참여할 수 없다.
= My illness **forbids** me **to attend** the meeting.

---

01 일반적으로 주어는 사람이나 사물이 쓰이는데, 무생물이나 추상적인 개념도 주어로 쓰이는 경우가 있다. 이런 경우를 무생물 주어 구문 또는 물주 구문이라고 한다.

02 make, cause, enable, force, allow, prevent, keep, show, remind, suggest 등은 무생물 주어 구문으로 자주 쓰이는 동사인데 특히 '무생물 주어 + enable A to B(주어가 A에게 B를 가능하게 하다)', '무생물 주어 + remind A of B(주어가 A에게 B를 생각나게 하다)' 등은 자주 쓰이는 구문이다. 무생물 주어 구문의 해석은 무생물 주어를 부사로 해석해 주면 된다.

13-**7** 주의해야 할 관사와 어순

01 I have never seen **so honest a man**. 나는 그렇게 정직한 사람을 본 적이 없다.

It is **too good a chance** to be lost. 그것은 놓치기에는 너무나 좋은 기회이다.

02 He is **quite a good painter**. 그는 꽤 솜씨 좋은 화가이다.

He has **such a small car** that he cannot take us all to the station.

그는 너무 작은 차를 가지고 있으므로, 우리를 모두 정거장까지 태워 줄 수 없다.

01 so, as, too, how(감탄문), however가 오면 그 다음에 '형용사 + 부정관사(a, an) + 명사'의 어순이 된다.

02 such, half, rather, many, quite, what(감탄문)이 오면 그 다음에 '부정관사(a, an) + 형용사 + 명사'의 어순이 된다.

13-**8** 주의해야 할 전치사의 용법

01 The river flows **between** the two countries. 그 강은 두 나라 사이에 흐른다.

Divide these **among** you three. 이것을 너희들 셋이 나누어라.

02 **Despite** his fault, she still loves him. 그의 잘못에도 불구하고, 그녀는 여전히 그를 사랑한다.

03 Everyone came **but** you. 너만 빼놓고 모두 왔다.

04 I will read the book **on** Sunday. 나는 일요일에 그 책을 읽을 것이다.

01 between과 among은 모두 전치사로서, '~사이에'라는 의미를 나타내지만, between은 둘 사이에 쓰이고, among은 셋 이상 사이에 쓰인다.

02 despite, in spite of, regardless of, with all, for all 등은 양보의 의미(~ 불구하고)를 나타낸다.

03 except, but은 전치사로 쓰여서 '~를 제외하고'의 의미로 쓰인다.

04 특정한 날(요일이나 날짜)에는 전치사 on을 쓴다.

13-9 혼동하기 쉬운 동사

01 The moon is **rising** above the horizon. 달이 지평선 위로 뜨고 있다.

She **raised** water from the well. 그녀는 우물에서 물을 길어 올렸다.

02 The dog was **lying** on the ground. 그 개는 땅에 누워 있었다.

She **laid** her hand on the man's shoulder. 그녀는 자기의 손을 그 남자의 어깨에 놓았다.

You are **lying** to me. 너는 나에게 거짓말을 하고 있어.

01 rise – rose – risen(자동사): 오르다, (해·달 등이) 뜨다

raise – raised – raised(타동사): 올리다, 기르다, 모금하다

02 lie – lay – lain – lying(자동사): 눕다, 놓여 있다

lay – laid – laid – laying(타동사): 놓다, 눕히다

lie – lied – lied – lying(자동사): 거짓말하다

13-10 부가의문문

01 Mary likes the book, **doesn't she**? Mary는 그 책을 좋아한다. 그렇지 않니?

02 You can drive a car, **can't you**? 너는 운전할 수 있지, 그렇지 않니?

We saw no one we knew, **did we**? 우리가 아는 누구도 보지 못했어, 그랬지?

03 Fetch me a chair, **will you**? 나에게 의자를 가져다 줘, 그래 줄래?

01 부가의문문이란 평서문 끝에 의문문을 부가하여 평서문의 내용을 상대에게 확인하거나, 상대의 동의를 구하는 것으로 '~, 동사 + 주어'의 형식으로 쓰이며 부가의문문의 주어는 항상 대명사를 쓴다.

02 앞 문장이 긍정이면 부정을, 부정이면 긍정을 쓴다. 이때 앞 문장의 동사가 be동사나 조동사면 be동사나 조동사를, 일반동사이면 do동사를 쓴다.

03 명령문에는 'will you?'가, Let's로 청유하는 문장에는 'shall we?'가 쓰인다.

Let's Drill

정답 및 해설 p. 37~38

A 다음 괄호 안에서 어법에 맞는 형태를 고르시오.

1. Never (did I, I did) dream that such a big building existed.
2. What (in the world, of the world) did he say then?
3. This is the (very, much) game I want to see.
4. Do you know what (this is, is this)?

B 다음 빈칸에 가장 적절한 것을 쓰시오.

1. The snow prevented him from going out.
   = The snow _____ him _____ _____ out. 눈 때문에 그는 외출할 수 없었다.
2. I don't like him _____ _____ _____. 나는 전혀 그를 좋아하지 않는다.
3. His wealth enabled him _____ go abroad.
   부유했기 때문에 그는 외국에 갈 수 있었다.

C 다음 빈칸에 들어갈 어구로 가장 적절한 것은?

I like reading books, writing poems and _____.

① watch movies
② to watch movies
③ watching movies
④ to be watching movies
⑤ having watched movies

D 진하게 표시된 부분에 유의해서 다음 문장을 해석하시오.

1. **It was** Linda **that** gave me a book in the class yesterday.
2. A : I don't like snakes.
   B : **Neither do I.**
3. **Not until then could I** speak German.

Real Test

1   다음 글의 밑줄 친 부분 중, 어법상 틀린 것은?

When Peter takes a trip he usually goes on his own ① instead of traveling with an organized tour. He likes the freedom ② of deciding where he will go, what he will do when he gets there, and ③ how long will he stay. He enjoys exploring remote areas where there are no tourists. His idea of travel ④ is based on a desire to escape, at least temporarily, from ⑤ all that is familiar.

2   (A), (B), (C)의 각 네모 안에서 어법에 맞는 표현으로 가장 적절한 것은?

Many girls and boys like playing with dolls. They like dolls that (A) look/ look like people they have read about or (B) have seen/seeing in the movies or on television. Dolls that resemble clowns, police officers, and soldier (C) are used often/are often used in make-believe games of circus, detective, army, or explorer.

	(A)	(B)	(C)
①	look	have seen	are often used
②	look like	seeing	are used often
③	look	have seen	are used often
④	look like	seeing	are often used
⑤	look like	have seen	are often used

3 (A), (B), (C)의 각 네모 안에서 어법에 맞는 표현으로 가장 적절한 것은?

After the kids were grown, I went back to work. Adjusting to all those new machines (A) wasn't/weren't easy — and neither (B) today's competitive young people were/were today's competitive young people ! I felt so incapable! I was going to give up when my sister told me about the evening classes at City College. Now I know all about high-tech office machines, plus I've learned a lot about (C) me/myself .

	(A)	(B)	(C)
①	wasn't	today's competitive young people were	me
②	weren't	were today's competitive young people	me
③	wasn't	were today's competitive young people	myself
④	weren't	today's competitive young people were	myself
⑤	weren't	today's competitive young people will be	me

4 다음 글의 밑줄 친 부분 중, 어법상 틀린 것은?

At the funeral I was alone. Then a man ① brought in a small vase with some flowers in it. "To W. John Graves," the card said, "from the boy who was born with you at Memorial Hospital, and his mother." ② Only then I did recognize the vase ③ was filled with roses. She and I ④ had lost touch for a long time. She had never known our son, nor his illness. She ⑤ must have read about my son's death in a newspaper.

Memory Notes for Grammar ①

01

〈뜻에 주의할 완전자동사〉
- count(중요하다), make(움직이다), last(계속되다), do(만족하다), be(존재하다)

〈형용사보어를 갖는 불완전자동사〉
- turn/go/come/run/fall/grow/get(~가 되다), seem/appear/look(~하게 보이다), sound(~하게 들리다), feel(~하게 느껴지다), smell(~한 냄새가 나다), taste(~한 맛이 나다)

〈자동사로 착각하기 쉬운 타동사〉
- marry, accompany, obey, enter, answer, influence, discuss

〈4형식을 3형식으로 전환〉
- to를 쓰는 경우 : give, show, teach, tell, write, lend 등
- for를 쓰는 경우 : make, buy, get, leave, read 등
- of를 쓰는 경우 : ask, inquire 등

〈조동사의 의미〉
- may well : ~하는 것도 당연하다
- so that + 주어 + may : ~하기 위하여
- may as well ~ as … : …하느니 차라리 ~하는 편이 낫다
- cannot have p.p. : ~했을 리가 없다
- must have p.p. : ~했음에 틀림없다
- may have p.p. : ~했을지도 모른다
- should have p.p. : ~했어야 했다
- would rather A than B : B보다 차라리 A하는 것이 낫다

〈that절에 쓰이는 should〉
- suggest[propose, insist, order] that + 주어 + (should)
- It is natural[necessary, important] that + 주어 + (should)
- It is strange[surprising, a pity] that + 주어 + (should)

02

〈현재가 미래를 대신하는 경우〉
- come, go, arrive, start, leave 동사가 쓰이는 가까운 미래
- 시간, 조건을 나타내는 부사절

〈과거완료 대신 과거시제를 쓰는 경우〉
- when, after, before, till, as soon as 등에 의해 전후 관계의 시간이 명백할 경우

〈진행형이 없는 동사〉
- see, hear, feel, smell, taste, love, like, hate, want, know, believe, be, have, resemble, belong to

〈주의할 현재완료 용법〉
- ago, when, last, yesterday 등과 같이 쓰지 않는다.
- just는 현재완료에, just now는 과거시제에 쓴다.

Memory Notes for Grammar ②

03	
• 형용사[부사] + enough + to부정사 : ~하기에 충분할 만큼 • too + 형용사[부사] + to부정사 : 너무 ~해서 …할 수 없다 〈of를 써서 의미상의 주어를 표현하는 경우〉 • kind, foolish, nice, careful 등이 올 때	• 지각동사 : see, watch, look at, notice, hear, listen to, feel 등 • 사역동사 : let, make, have • 관용구문 : cannot but + 동사원형 = cannot help + 동명사 = cannot have no choice but + to부정사(~하지 않을 수 없다)

04	
• 동명사를 목적어로 삼는 동사 : finish, enjoy, mind, avoid, deny, keep, give up, put off • remember[forget, regret] : 동명사 목적어(과거의 일), 부정사 목적어(미래의 일) 〈동명사 구문〉 • It is no use –ing : ~하는 것은 소용없다 • There is no –ing : ~하는 것은 불가능하다	• cannot help –ing : 어쩔 수 없이 ~하다 　(= cannot but 동사원형) • feel like –ing : ~하고 싶다(= feel inclined to부정사) • prevent A from –ing : A가 ~하는 것을 못하게 하다 • never … without –ing : ~할 때는 언제나 …한다 • look forward to –ing : ~고대하다 • be used[accustomed] to –ing : ~에 익숙하다 • It goes without saying : 두말할 필요가 없다

05	
• 분사구문의 의미상의 주어는 주절의 주어와 일치해야 생략할 수 있다. • Being 또는 Having been으로 시작하는 분사구문은 Being 또는 Having been을 생략할 수 있다. • 분사구문을 부정할 경우에는 부정어구를 분사 앞에 둔다. • with + 명사 + 분사 : 동시 동작을 나타냄	〈비인칭 독립분사구문〉 • Judging from : ~로 판단하건대 • Generally speaking : 일반적으로 말해서 • Frankly speaking : 솔직히 말해서 • Strictly speaking : 엄격히 말해서

Memory Notes for Grammar ③

06

〈목적어가 that절인 문장의 수동태 전환〉

• 주절의 시제와 일치하는 경우
  ex) People say that he is rich.
  → It is said that he is rich.
  → He is said to be rich.

• 주절의 시제가 that절의 시제보다 늦는 경우
  ex) People say that he was rich.
  → It is said that he was rich.
  → He is said to have been rich.

• 직접목적어만 주어로 변환할 수 있는 4형식 동사 :
  do, make, buy, sell, get, bring, send, write,
  read, sing, pass 등
• 사역동사나 지각동사를 수동태로 전환할 때는 원형
  부정사를 to부정사로 바꾸어 준다.
• 긍정명령문 수동태 : Let + 목적어 + 과거분사
• 부정명령문 수동태 : Let + 목적어 + not be + 과
  거분사, Don't let + 목적어 + be + 과거분사

〈by 이외의 전치사를 쓰는 수동태〉

• be covered with, be surprised at, be filled with,
  be known to

07

• 가정법 문장에서 If가 생략되면 주어와 동사의 위치
  가 바뀐다.
• I wish + 가정법 과거 : ～한다면 좋겠는데
  I wish + 가정법 과거완료 : ～했더라면 좋을 텐데
• as if + 가정법 과거 : 마치 ～인 것처럼
  as if + 가정법 과거완료 : 마치 ～였던 것처럼

〈관용 표현〉

• It's (high) time + 가정법 과거 : ～할 시간이다
• If it were not for ～ : ～가 아니라면
• If it had not been for ～ : ～가 아니었더라면
• as it were : 말하자면

Memory Notes for Grammar ④

08

〈수의 일치〉

- 언제나 단수 : 단위를 나타내는 수사/each, every/ much
- a number of : 복수 / the number of : 단수
- 별개의 사물이 and로 연결되어 하나의 사물을 나타 낼 때 : 단수
- 복수형의 학과명 : 단수
- 상관접속사 : 모두 B에 일치시킨다(not only A but also B, B as well as A, either A or B, neither A nor B)

〈시제의 일치 예외〉

- 언제나 현재 : 진리나 진실, 속담이나 격언, 현재의 습관
- 언제나 과거 : 역사적 사실

〈화법 전환〉

- 부사와 지시대명사의 전환 : here → there, now → then, ago → before, today → that day, yesterday → the day before[the previous day], tomorrow → the next day[the following day], these → those
  last night → the night before, this → that
- 의문사가 없는 의문문은 if나 whether를 접속사로 쓴다.
- 명령문을 전환할 때는 원형동사를 to부정사로 쓴다.
- Let's로 시작하는 명령문은 전달동사를 suggest, propose 등을 쓰고 that절의 동사는 should + 원형동사를 쓴다.

09

〈부정관사(a, an)의 다양한 뜻〉

- 하나의(one), 종류 전체, 어떤(certain), 매~(per), 같은, 동일한(of the same)

〈정관사(the)를 쓰는 경우〉

- the + 앞에 나온 명사[유일무이한 명사, 서수, 최상 급, only, same, very]
- 단위를 나타낼 때 : by the + (시간, 수량)단위
- the + 형용사 : ~한 사람들(~ people)
- 소유격 대신 : hit[strike] + 사람 + on the + 신체 일부
  catch[take] + 사람 + by the + 신체 일부
  look[stare] + 사람 + in the + 신체 일부

〈관용적 표현〉

- A is one thing, B is another : A와 B는 별개이다

〈물질명사의 수량 표시법〉

- a cup of coffee, a glass of milk[water, juice]
  a cake of soap, a piece of paper[chalk, advice, furniture]

〈a + 물질명사 = 구체적인 제품이나 사건〉

- a glass(유리잔), a silk(비단옷), a fire(화재 사건)

〈a + 추상명사 = 그 성질의 소유자, 구체적인 행동 및 사물〉

- a beauty(미인), a youth(젊은이), many kindnesses (많은 선행들), a necessity of life(생활 필수품)

〈a + 고유명사 = ~하는 사람, ~의 작품〉

- I bough a Ford. (나는 포드 자동차 한 대를 샀다.)
- I want to be an Einstein. (나는 아인슈타인 같은 사람이 되고 싶다.)
- I read a Hemingway. (나는 헤밍웨이 작품 한 편을 읽었다.)

Memory Notes for Grammar ⑤

10

〈관계대명사 that을 꼭 써야 하는 경우〉

• 최상급/서수사/the very/the only/the same/the first/the last 등이 선행사를 수식할 때
• all/any/every/no 등이 선행사를 수식할 때
• anything/everything/nothing이 선행사일 때
• 사람 + 동물/사람 + 사물이 선행사일 때
• who/what/which 등의 의문사가 선행사일 때

〈유사관계대명사〉

• as : such, the same, as 등이 선행할 때
• but : not, no 등이 선행할 때
• than : 비교 구문이 선행할 때

〈관계대명사 what의 관용적 표현〉

• what 주어 + 동사 : 주어의 사람됨
• Reading is to the mind what exercise is to the body. (독서와 정신의 관계는 운동과 신체의 관계와 같다.)

〈관계대명사의 생략〉

• '목적격 관계대명사'는 생략할 수 있다.
• '주격관계대명사 + be동사'는 생략할 수 있다.
• 'There is' 뒤의 주격관계대명사는 생략할 수 있다.

〈복합관계사〉

• whatever = no matter what
  whenever = no matter when
  wherever = no matter where

11

〈부사의 위치〉

• 빈도부사 : 일반동사 앞에, 조동사 뒤에, be동사 뒤에
• 목적어가 명사이면 부사는 명사 앞이나 뒤에 올 수 있다. 하지만 목적어가 대명사일 경우 부사는 반드시 대명사 뒤에 와야 한다.
• '자동사 + 전치사'의 경우에 목적어는 명사이든 대명사이든 모두 전치사 뒤에 둔다.

〈원급 비교〉

• as 원급 as : ~만큼 …한
• as 원급 as possible : 가능한 한 ~한(= as 원급 as + 주어 + can)
• not so much A as B : A라기보다는 차라리 B이다
• not so much as : ~조차 …않다

〈비교급 표현〉

• 동일인의 이질적인 성질을 비교할 때는 'more + 원급 + than'을 쓴다.
• the + 비교급 + of the two : 둘 중에서 더 ~하다
• the + 비교급 + for[because] : ~때문에 그만큼 더 …
• the + 비교급~, the + 비교급… : ~하면 할수록 더 …하다
• 비교급 강조 : much, still, far, even, by far 등을 비교급 앞에 쓴다.
• than 대신 to를 쓰는 경우 : superior, inferior, senior, junior, major, minor
• no more A than B : A가 아닌 것은 B가 아닌 것과 같다

〈최상급 표현〉

• 동일인을 비교할 때는 최상급에서 the를 생략한다.
• the last : 결코 ~할 것 같지 않은, 부적당한

Memory Notes for Grammar ⑥

12

〈등위접속사〉

- 명령문 + and : ~해라 그러면
  명령문 + or : ~해라 그렇지 않으면

〈상관접속사〉

- both A and B : A와 B 모두
- not only A but also B : A뿐만 아니라 B도
  = B as well as A
- either A or B : A 혹은 B
- neither A nor B : A도 아니고 B도 아닌

- 때를 나타내는 접속사 : while, until, since, as soon as, once
- 이유, 원인을 나타내는 접속사 : because, since, as, now that
- 조건을 나타내는 접속사 : if, unless, suppose, provided that
- 양보를 나타내는 접속사 : although, even though, whether … or not, no matter what, 명사[형용사] + as + 주어 + 동사
- 목적을 나타내는 접속사 : so that, in order that
- 결과를 나타내는 접속사 : so + 형용사 + that, such + 명사 + that

13

〈부분 부정〉

- all[every, both] + not : 모두 ~하는 것은 아니다
- not + always[necessarily, completely] : 언제나 [반드시, 완전히] ~하는 것은 아니다

〈이중 부정〉

- never ~ without … : ~하면 반드시 …한다
- cannot ~ too … : 아무리 …해도 지나치지 않다
- nothing but : 겨우(= only)
- far from : 결코 ~아닌(= anything but, by no means)

〈강조 구문〉

- It is ~ that 구문 : 동사를 제외한 문장의 일부를 강조할 때
- 동사를 강조할 때 : 동사 앞에 do를 쓴다.
- 의문문, 부정문 강조 : at all, on earth, in the world 삽입

〈도치 구문〉

- 부정 부사구 + 조동사 + 주어 + 일반동사
- 보어 + 자동사 + 주어
- 목적어 + 주어 + 타동사(단, 부정어구가 들어간 목적어의 도치는 '목적어 + 조동사 + 주어 + 일반동사'의 어순이다.)

저자 Wiz Tool 영어 연구소

랭기지플러스

깐깐한 고등영문법

Start

고등 스타트

Chapter 1
동사와 시제

Let's Drill

A	1. cheerful	2. discussed
	3. arrived	4. makes
B	1. is, going, to	2. for
C	1. am knowing → know	
	2. are visiting → visit	
	3. have arrested → arrested	
	4. had discovered → discovered	
D	⑤	

1. look, appear, smell, sound 등의 2형식 동사는 보어 자리에 부사를 쓸 수 없고 형용사를 써야 한다. 부사처럼 해석되어 혼동되기 때문에, 특히 주의해야 한다.

- This food tastes **sweetly**. (X)
  → This food tastes **sweet**. (O)
  이 음식은 맛이 달다.

- The story sounds **strangely**. (X)
  → The story sounds **strange**. (O)
  그 이야기는 이상하게 들린다.

[해석] 그들은 활기차게 보인다.

2. discuss, marry, enter, reach 등은 의미상으로 자동사처럼 풀이되어, 뒤에 전치사가 쓰여야 할 것 같지만 타동사이기 때문에 뒤에 전치사를 사용하면 안 된다.

- I entered into the room. (X)
  → I **entered** the room. (O)
  나는 그 방에 들어갔다.

- She reached at the station. (X)
  → She **reached** the station. (O)

→ She **arrived at** the station. (O)
그녀는 그 역에 도착했다.

arrived는 자동사이기 때문에 at과 함께 써야 한다.

[해석] 우리는 그 계획에 대해서 토론했다.

3. just와 just now는 '방금, 막'이라는 거의 비슷한 뜻이지만 just는 현재완료에, just now는 과거시제에 사용하기 때문에 주의해야 한다. just now, ago, yesterday, last 등과 같이 정확한 과거 시점을 나타내는 부사(구)는 완료시제와 쓸 수 없고 과거시제와 써야 한다.

- She has **just** left home.
  그녀는 방금 집을 떠났다.

- She left home **just now**.
  그녀는 지금 막 집을 떠났다.

[해석] 그 기차는 방금 도착했다.

4. 불변의 진리, 사실, 속담과 같이 시간에 상관없이 항상 참인 것은 현재시제를 사용해야 한다.

- I learned that two times three was six. (X)
  → I learned that two times three **is** six. (O)
  나는 2곱하기 3이 6이라는 것을 배웠다.

[해석] 2 더하기 3은 5이다.

1. 앞으로 일어날 일을 나타낼 때 미래시제를 쓰는데 일반적으로 조동사 will을 쓰며, 같은 표현으로 be going to가 있다. be going to는 주로 가까이 예정된 미래를 나타낼 때 쓰인다.

2. buy는 4형식을 3형식으로 전환할 때 전치사 for가 필요한 동사이다.

- I bought him a book. (4형식)

→ I bought a book for him. (3형식)
나는 그에게 책을 사 주었다.

위 예문과 같이 3형식으로 전환할 때 전치사 for가 필요한 동사로는 buy, make, build, get, leave 등이 있고, of가 필요한 동사로는 ask, inquire가 있으며, 그 외 대부분의 동사는 전치사 to를 쓴다.

1. know는 동작이 없는 인식(상태)동사이기 때문에 진행형으로 쓰지 않는다. 이와 같은 동사로는 동작이 없는 상태(인식)동사(have, love, like, know, believe 등)와 감각동사(smell, see, hear 등)가 있다. 단 have는 '가지다'가 아닌 '먹다'의 뜻으로 사용될 때는 진행형이 가능하다.

· I **am knowing** him very well. (X)
  → I **know** him very well. (O)
  나는 그를 매우 잘 안다.

2. every Sunday와 같은 부사구는 반복적인 습관을 나타내기 때문에 진행시제와 쓰지 않고 단순현재시제와 같이 사용해야 한다.

· We **are visiting** our aunt every Sunday.
  → We **visit** our aunt every Sunday.
  우리는 일요일마다 숙모를 방문한다.

3. last Friday와 같이 명백한 과거의 시점을 밝히는 부사구가 있으면 현재완료시제와 함께 쓰지 못하고 과거시제를 써야 한다.

· The police **have arrested** a suspect last Friday. (X)
  → The police arrested a suspect last Friday. (O)
  경찰은 지난 금요일에 용의자를 체포했다.

4. 역사적 사실은 시제 일치의 법칙을 따르지 않고 언제나 과거 시제로 나타낸다.

· She said that Columbus discovered America in 1492.
  그녀는 Columbus가 1492에 아메리카 대륙을 발견했다고 말했다.

1. for three years와 같이 기간을 나타내는 부사구가 있으면 완료시제를 사용해야 하는데, 의미상 3년 전부터 지금까지 계속 배우고 있다는 뜻이므로 현재완료나 현재완료진행시제로 나타내면 된다. 따라서 ⑤ have been learning이 가장 적합하다.

Real Test

1. ③ 2. ⑤ 3. ⑤ 4. ②

1

[해석] 새의 알 이외에도 많은 종류의 다른 알들이 있다. 곤충의 알은 연필심 크기에 불과하고 여러 다른 형태와 색상이 있다. 물고기와 개구리의 알은 맑은 젤리처럼 보이는 무언가로 함께 뭉쳐져 있다. 거북이의 알들 중 일부는 부드러운 껍데기를 가지고 있다. 다른 것들은 단단하다. 뱀의 알은 항상 부드럽다. 여러 다른 종류의 흥미로운 알들이 세계 곳곳에서 발견될 수 있다.

[어휘] insect 곤충
no bigger than ~에 불과한 크기의
shape 형태, 모양
turtle 거북이
shell 껍데기

[해설] look, seem, appear, smell, sound 등의 동사는 해석상 수동적 의미지만 자동사이므로 능동의 형태를 취해야 한다. 따라서 ③은 that looks like가 되어야 한다. ⑤는 주어가 eggs이기 때문에 수동태로 쓰는 것이 맞는 표현이다.

2

[해석] Johnnie는 공원을 거닐다가 웃는 아이들의 소리를 들었다. 그는 Marty와 다른 소년들이 야구하는 것을 보았다. 그리고 그들을 격려하는 Fred가 있었다. 그들은 대단히 즐거운 듯 보였는데, 그래서 Johnnie의 기분은 더욱 나빴다. 공원의 북쪽 끝에 다다랐을 때, 그는 오래된 소망의 샘 앞에 멈추었다. johnnie는 즐거웠던 옛시절에 Anne과 함께 종종 그 샘에 왔던 것을 슬프게 떠올렸다.

[어휘] encouragement 격려
good old days 그리운 옛날
wishing well 소망의 샘

[해설] johnnie가 그리운 옛날을 기억하는 시점이 과거인데, Anne과 함께 자주 소망의 샘에 온 것은 더 과거의 일이므로 ⑤는 과거완료시제인 had often come으로 써야 적절하다.

3

[해석] Tino는 어린 꼬마였을 때부터, 자기가 태어난 곳으로 돌아가서 여전히 거기에 살고 있는 친척들을 만나기를 원했다. 29살이 된 지금, 그는 마침내 그 여행을 하기로 했다. 내일 이 시간이 되면 그는 대서양을 건너 이탈리아로 가는 비행 중일 것이다. Barbara는 남아서 은행 일을 해야 하기 때문에 그와 함께 가지 않을 것이다. 그가 공항에 도착하면, 호텔로 가서 거기서 그날 밤을 보낼 것이다.

[어휘] birthplace 출생지
relative 친척, 인척
finally 마침내
make a trip 여행을 하다

[해설] 시간이나 조건을 나타내는 부사절에서는 현재가 미래를 대신하므로 ⑤는 When he arrives at이 되어야 한다.

4

[해석] Tommy는 새 옷 값을 지불하고 그가 방금 구입한 재킷과 바지에 대해 아주 기쁜 마음을 느끼며 집으로 걸어갔다. 그는 그 옷이 할인 판매 중이었고 그래서 정가의 50퍼센트만 지불했기 때문에 특히 기분이 좋았다.

[어휘] especially 특히
on sale 할인 판매 중
regular price 정가

[해설] (A) 기분을 느끼는 주체가 Tommy이며 feel은 수동의 의미지만 능동으로 쓰이는 자동사이므로 feeling을 써야 한다. (B) 방금 전에 옷을 산 것으로 과거보다 더 이전의 시점을 나타내므로 과거완료 had just bought가 알맞다. (C) because 뒤에는 절이 오고 because of 뒤에는 명사(구)가 온다. 여기에서는 뒤에 '주어+동사'의 절이 이어졌으므로 because가 적절하다.

Chapter 2

조동사

Let's Drill

A	1. carry	2. may
	3. should	4. must have been
B	1. would	2. have, to
	3. is, able, to	4. could, not, but, laugh
C	1. ought to not → ought not to	
	2. going → go	
	3. should take → had taken	
D	⑤	

1. had better(~하는 것이 좋다)는 조동사이기 때문에 뒤에 반드시 동사원형을 써야 한다. 또한 had better는 의미상 강요의 뜻이 있기 때문에, 지위가 높거나 나이가 많은 사람에게 함부로 사용해서는 안 되는 표현이다.

[해석] 너는 여행 가방을 가져가는 것이 좋다.

2. may as well은 '~하는 편이 더 낫다'는 의미이다.

[해석] 너는 집에 가는 편이 낫다.

3. it is ~ that의 문장에서 이성적 판단을 나타내는 necessary, natural, important 등의 형용사가 오면 that절에 should를 써야 한다.

[해석] 그가 그렇게 하는 것은 당연하다.

4. 'must have + 과거분사'는 '~했음에 틀림없다'는 의미로 과거 사실에 대한 확신을 나타낸다. 'should have + 과거분사'는 '~했어야 했다'는 의미로 문맥상 적절하지 않다.

[해석] John은 어젯밤에 아팠던 것이 틀림없다.

1. would like to(=would love to)는 '~하고 싶다'는 의미로 소망을 나타낸다.

- We **would like to** offfer you our congratulations.
  우리는 너에게 축하를 전하고 싶다.

2. must(~해야만 한다)는 have to로 바꿔 쓸 수 있다.

- You must drive on the left in England.
  영국에서는 좌측에서 차를 몰아야 한다.
  = You **have to** drive on the left in England.

3. can(~할 수 있다)은 be able to로 바꿔 쓸 수 있다.

- He can read books. 그는 책을 읽을 수 있다.
  = He is able to read books.

4. can not help ~ing(~하지 않을 수 없다)는 'can not but + 동사원형'과 바꿔 쓸 수 있다.

- I could not help laughing at the sight.
  나는 그 광경에 웃지 않을 수 없었다.
  = I **could not but laugh** at the sight.

1. ought to(~해야만 한다)의 부정은 ought to not이 아니라 ought not to로 not의 위치에 주의해야 한다.

- You ought to not see such a film. (X)
  → You **ought not to** see such a film. (O)
  너는 그런 영화를 보지 말아야 한다.

2. used to(~하곤 했다)는 조동사이므로 to 뒤에 반드시 동사원형이 와야 한다.

- She used to going to church every Sunday last year. (X)
  → She used to **go** to church every Sunday last year. (O)

그녀는 작년에 매주 일요일에 교회에 가곤 했다.

3. 주절에 주장을 나타내는 동사 insist가 쓰였지만 문맥상 '사고가 인도에서 일어났다고 주장했다'는 내용이 되어야 하므로 종속절의 동사는 should take가 아니라 시제 일치에 따라 had taken이 되어야 한다.

· They insisted that the accident should take place on the crosswalk. (X)
→ They insisted that the accident **had taken** place on the crosswalk. (O)
    그들은 그 사고가 인도에서 일어났다고 주장했다.

'~하지 말았어야 했다'는 과거에 했던 행동을 후회하는 것이므로 'shouldn't have + 과거분사'가 적절하다.

Real Test

1. ② 2. ② 3. ⑤ 4. ⑤

1.

해석 그들은 우리를 산 높은 곳에 있는 숨겨진 작은 마을로 데려갔다. 당신도 그 광경을 보았어야 했다. 그것은 정말 아름다웠다. 아마 당신은 그렇게 아름다운 마을은 본 적이 없을 것이다. 그들은 우리에게 앉으라고 손짓을 했고 저녁으로 맛있는 구운 돼지 요리를 가져다 주었다. 식사가 끝난 후 우리는 아주 피곤했고 그들은 우리를 커다란 초막으로 데려갔다. 우리는 멀리 사자들의 포효 소리에도 불구하고 곧 잠이 들었다.

어휘 motion 동작을 취하다
    hut 오두막
    roast 구운, 볶은
    immediately 즉시

in spite of ~에도 불구하고(=despite)
roar 포효하다, 으르렁거리다
in the distance 멀리

해설 (A)에는 명사를 꾸며 주는 분사가 들어가야 하는데 수동의 의미이므로 과거분사가 들어가는 것이 적절하다. (B)에는 '~했어야 했는데'라는 과거의 유감이나 후회를 나타내는 표현이 들어가야 하므로 should have seen이 알맞다. (C)에는 서술적 용법으로 쓰이는 형용사가 들어가야 하므로 asleep이 적절하다.

참고 〈형용사의 용법〉

· 한정적 용법 : 형용사가 명사를 수식하는 역할을 할 때 한정적 용법이라고 한다.

She is a **beautiful** woman.
그녀는 아름다운 여자이다.

· 서술적 용법: 형용사가 주격 보어나, 목적격 보어로 보충 설명해 주는 역할을 할 때 서술적 용법이라고 한다. a-로 시작하는 afraid, awake, alone, alive 같은 형용사는 서술적 용법으로만 쓰인다.

She is **alone**. 그녀는 외롭다.

2.

해석 어머니는 내게 항상 이를 닦았는지 물으셨다. 매번 식사가 끝날 때마다 어머니는 "이 닦았니?"라고 묻곤 하셨다. 매번 과자나 과일 같은 간식을 먹을 때면 엄마는 내가 이를 닦았는지를 알고 싶어 하셨다. 어머니는 우리 강아지 Fritz도 이빨을 깨끗이 닦아야 한다고 주장하셨다. 당연히, 어머니는 내게 그 개의 이빨을 닦아 주라고 명령하셨다.

어휘 brush 솔질하다, 양치질하다
    meal 식사, 식사 시간
    snack 간식, 간단한 식사
    insist 주장하다, 고집하다
    naturally 당연히

[해설] (A) 양치질을 한 것이 엄마가 물어보는 것보다 더 과거의 일이므로, 대과거(had brushed)로 써야 한다. (B) 주절에 동사 insist가 쓰였고 that절의 내용이 이미 벌써 벌어진 일에 관한 것이 아니므로 '(should) + 동사원형'이 쓰여야 한다. 이때 조동사 should는 생략할 수 있다. (C) 대명사가 받는 것은 teeth이므로 복수로 써야 한다. 대명사를 고르는 문제는 대명사가 받고 있는 명사를 정확히 찾아야 한다.

3.

[해석] Mary는 오전 7시부터 카메라를 조립해 오고 있어서 지금은 아주 피곤하다. 그녀는 오늘 20대의 카메라를 조립했고 전에는 하루에 그렇게 많은 카메라를 조립한 적이 없었다. 그녀는 한 대만 더 조립하면 되고 그러면 집에 갈 수 있다. 그녀가 피곤한 것은 당연하다. 그러나 그녀는 기분이 좋았다. 정말 긴 하루였다.

[어휘] assemble 조립하다

may well ~하는 게 더 당연하다

may as well ~하는 게 더 낫다

[해설] may as well은 '~하는 편이 더 낫다'의 의미이고, may well은 '~하는 것이 당연하다'의 의미이므로 내용상 ⑤는 may well be tired(피곤한 것이 당연하다)가 옳다.

4.

[해석] 청소년을 위해서 글을 쓰는 사람들은 모든 종류의 책을 쓴다. 어떤 사람들은 별이나 차, 배와 같은 실제의 것들에 관해 쓴다. 그러나 다른 사람들은 만들어진 이야기를 한다. 이 이야기 중 많은 것은 과거를 배경으로 일어난다. 그러나 어떤 것은 오늘날을 사는 것이 어떤지 보여 준다. 이러한 이야기는 학교에 가는 것이나 가족의 일원이 되는 것에 관한 내용일 수 있다.

[어휘] youth 젊은이

make up 만들다

take place in ~이 발생하다, 일어나다

past 과거

[해설] (A)에는 주어의 역할을 하는 주격 관계대명사가 들어가야 하고, (B)에는 수동의 의미를 나타내는 과거분사가 와야 하며, (C)는 조동사 may 뒤이므로 동사원형이 들어가야 적절하다.

Chapter 3
부정사

Let's Drill

A 1. it 2. go 3. for me 4. to go
B 1. too, to 2. to, be 3. where, to
C 1. to not go → not to go
   2. for you → of you
   3. to smile → smile
   4. land → to land
D 1. 사실대로 말하자면, 그녀는 너를 좋아하
      지 않는다.
   2. 설상가상으로, 비가 오기 시작했다.
   3. 우리는 6시에 여기에서 그를 만날 예정
      이다.
   4. 그는 혼자서 탁자를 옮길 만큼 힘이 세다.

1. 주어가 문장에 비해 긴 경우 가주어, 진주어 구문을 쓰는 것과 마찬가지로 to부정사가 목적어로 쓰인 경우 문장에 비해 목적어가 길 때는 그 자리에 가목적어 it을 쓰고 진목적어는 뒤로 보낸다.

· I found it difficult to write a letter.

[해석] 나는 편지 쓰는 것이 어렵다는 것을 알았다.

2. 5형식에서 동사가 사역동사(let, make, have, help 등)인 경우 목적어와 능동의 관계인 목적보어는 동사원형을 써야 한다.

· I let Tom study English hard.
  나는 Tom에게 영어 공부를 열심히 하라고 시켰다.
· She let me go to the movies.

[해석] 그녀는 내가 영화를 보러 가도록 해 줬다.

3. to부정사의 의미상의 주어는 보통 「for + 목적격」으로 나타내며, 사람의 성격이나 성질을 나타내는 형용사 (kind, nice, foolish, wise, careful 등)가 있을 때는 「of + 목적격」으로 나타낸다.

· It is difficult for me to solve the problem.
  내가 그 문제를 해결하는 것은 어렵다.

· It is foolish of you to say so.
  당신이 그렇게 말씀하시니 어리석군요.

· It is rather easy for me to read that book.

[해석] 저 책을 읽는 것은 나에게 오히려 쉽다.

4. in order to(~하기 위해서)는 관용적인 to부정사 구문으로서 to 뒤에 동사원형를 써야 한다.

· I'm doing my best in order to go to college.

[해석] 나는 대학에 들어가기 위해서 최선을 다하는 중이다.

B

1. so ~ that … cannot은 too ~ to로 바꿔 쓸 수 있고, so ~ that … can은 ~ enough to로 바꿔 쓸 수 있다.

· I am so weak that I cannot lift it.
  나는 너무 약해서 그것을 들어올릴 수가 없다.
  = I am too weak to lift it.

· I am so strong that I can lift it.
  나는 너무 힘이 세서 그것을 들어올릴 수 있다.
  = I am strong enough to lift it.

2. It seems that ~은 「seem to + 동사원형(~처럼 보이다)」의 단문으로 전환할 수 있다.

· It seems that she is happy. 그녀는 행복해 보인다.
  = She seems to be happy.

3. 「의문사 + to부정사」의 해석은 '~해야 할지'로 되어 문장에서 명사적 역할을 한다.

- I don't know where to go.
  나는 어디로 가야 할지 모른다.

- I don't know when to go.
  나는 언제 가야 할지 모른다.

- I don't know how to go.
  나는 어떻게 가야 할지 모른다.

1. to부정사의 부정은 to 앞에 not을 써야 한다.

- We decided to not go there. (X)
  → We decided not to go there.(O)
  우리는 거기에 가지 않기로 결정했다.

2. 사람의 성격이나 성질을 나타내는 형용사(kind)가 있으므로 to부정사의 의미상의 주어는 of you로 써야 한다.

- It is kind for you to say so. (X)
  → It is kind of you to say so. (O)
  당신이 그렇게 말씀해 주시니 친절하시네요.

3. 사역동사 make의 목적보어로는 동사원형이 와야 한다.

- You always make me to smile. (X)
  → You always make me smile. (O)
  너는 항상 나를 웃게 만든다.

4. 「지각동사 + 목적어 + 동사원형」 형태의 문장이 수동태로 바뀌면 동사원형이 to부정사가 되는 것에 유의한다.

- The plane was seen land at the airport. (X)
  → The plane was seen to land at the airport. (O)
  공항에 비행기가 착륙하는 게 보였다.

1. to tell the truth는 문장 전체를 수식하는 독립부정사로 뜻은 '사실대로 말하자면'이다.

2. to make matters worse는 독립부정사로 '설상가상으로'의 뜻이다.

3. to부정사의 형용사적 용법 가운데 하나인 be to 용법은 문장 의미에 따라서 예정, 의무, 가능, 운명, 의도의 뜻을 나타낸다. 이 문장에서는 예정의 뜻이 있기 때문에, '~를 만날 예정이다'라고 해석해야 한다.

4. enough to 구문은 형용사나 부사가 enough 앞에 위치한다는 것에 주의해야 하며 해석은 '~할 만큼 충분히 …하다'라고 한다.

Real Test

1. ① 2. ① 3. ④ 4. ⑤

1.

해석 부모님뿐만 아니라 John도 역시 오늘 아주 바쁘다. 토요일이다. 그래서 그들은 주중에 못했던 것들을 모두 해야만 한다. 그의 아버지는 소득세 양식을 작성해야 한다. 그는 주중에 그 일을 할 시간이 없었다. 그의 어머니는 세탁소에서 옷을 찾아야 한다. John은 도서관에 책을 반납해야 한다. 그는 주중에 책을 반납할 것을 잊어버렸다.

어휘 A as well as B B뿐만 아니라 A도
fill out 작성하다
income tax form 소득세 양식
cleaner's 세탁소

해설 A as well as B로 이어지는 어구가 주어인 경우

앞의 A가 실질적인 주어이므로, 여기서는 John이 주어가 된다. 따라서 ①은 is very busy가 되어야 한다. ⑤ remember나 forget 뒤에 to부정사가 오면 '할 일'을, ~ing형이 오면 '했던 일'을 나타내므로, 책을 주중에 반납해야 하는 것을 잊어버린 것이기 때문에 forget to take로 쓰는 것이 옳다.

2.

[해석] 학생들은 그들의 주간 계획을 세우는 것이 좋다. 우선 많은 학생들은 특정 시간에 해야 하는 모든 활동을 계획한다. 이런 활동들은 제시간에 행해져야 하는 수업과 학업이다. 다음으로, 그들은 할 필요가 있지만 특정 시간에 할 필요가 없는 것의 시간 계획을 세운다. 각 학생들은 언제 그것들을 하고 싶은지 결정할 수 있다. 이것들은 각 수업을 위한 공부 시간, 식사, 운동, 수면 시간이다. 마지막으로, 학생들은 그들이 원하는 방식으로 그들의 나머지 시간을 쓸 수 있다.

[어휘] schedule 계획(하다)
activity 활동
on time 제 시간에
rest 나머지, 잔여

[해설] 앞에 가주어 형태의 it is ~ 가 있으므로 뒤에는 진주어 형태의 to부정사가 쓰여야 한다. 따라서 plan은 to plan으로 쓰여야 적절하다.

3.

[해석] 곤충의 행동을 연구하기 위해서는 어떤 사건이 이루어지기 전과 진행 중일 때 그리고 이루어진 후에 그것의 움직임을 보여주는 차트를 작성해야 한다. 어떤 사건이란 빛, 온도, 또는 먹이의 변화일 수 있다. 결과를 보고할 때는 완전히 객관적이어야 하는 것이 언제나 중요하다. 행동을 일으킨 이유에 관해 가정을 하지 말고 단순히 사실만을 보고해라. 그 사실로부터 결론을 이끌어내지 않도록 해라. "이 곤충은 불행하다" 거나

"이 곤충은 빛을 좋아한다."고 말하기 쉽지만 이것들은 단지 추측에 불과하다.

[어휘] behavior 행동
insect 곤충
movement 움직임, 운동
temperature 온도, 기온
objective 객관적인(↔subjective 주관적인)
assumption 가정, 추론
draw 이끌어내다
conclusion 결론

[해설] to부정사의 부정은 to부정사 앞에 not이 와야 한다. 따라서 ④는 not to draw가 되어야 한다.

4.

[해석] 며칠 전에 누군가 내게 우리 오빠의 여자 친구가 다른 남자와 데이트를 하고 있다고 말해줬어요. 며칠간 망설였지만 나는 오빠에게 말하기로 결심했어요. 나는 오빠에게 알려줘야 한다고 생각했어요. 내가 이야기한 후에 오빠는 그 이야기 때문에 그녀를 만났어요. 비록 그녀는 부인했지만, 그로 인해 그들은 심한 말다툼이 오가고 나서 헤어졌어요. 이제 그 소문이 사실이 아니라는 것이 밝혀졌고 오빠는 나에게 말을 걸지 않아요. 제가 어떻게 해야 하는지 말해주세요.

[어휘] hesitate 망설이다, 주저하다
deny 부인하다, 부정하다
argument 논쟁, 말다툼
break up 깨어지다, 헤어지다
turn out ~임이 밝혀지다, 드러나다

[해설] stop은 목적어로 동명사(-ing)를 취하여 '~를 끊다(그만두다)'의 의미를 나타낸다. stop 뒤에 to부정사가 오는 경우도 있는데, 이때는 '~하기 위해 멈추다'라는 목적의 의미가 된다. 글의 흐름상 오빠가 화가 나서 나에게 말을 걸지 않았다'는 의미이므로 ⑤는 stopped speaking이 되어야 한다.

Chapter 4
분사

Let's Drill

A   1. written   2. playing
       3. called   4. exciting

B   1. Coming   2. It, being
       3. Having, finished

C   ⑤

D   1. 일반적으로 말해서, 영어는 말하기 쉽지
       않다.
       2. 밝게 웃으면서, 그녀는 손을 내밀었다.
       3. 솔직히 말해서, 그 사람은 정직하지 않다.
       4. 그녀는 두 눈을 감은 채 서 있었다.

1. a letter는 쓰는 주체가 아니라 쓰인 대상이기 때문에 written이 맞다. 명사 뒤에 놓이는 분사를 고르는 문제는 명사와의 관계를 따져서 능동적인 관계(~하고 있는)이면 현재분사를, 수동의 관계(~되어진)이면 과거분사를 써야 한다.

· I know the girl dancing on the stage.
   나는 무대에서 춤추고 있는 소녀를 안다.
   → girl이 춤을 추고 있는 주체이기 때문에 현재분사로 쓴다.

· I know the Camera made in Japan.
   나는 그 카메라가 일본제라는 걸 안다.
   → camera는 '만들어진' 대상이기 때문에 과거분사를 써야 한다.

[해석] 아빠는 나에게 영어로 쓴 편지를 보내셨다.

2. 소녀가 피아노를 치고 있는 것이므로 현재분사 playing이 올바르다.

[해석] 피아노를 치고 있는 소녀는 누구니?

3. 고양이가 Kitty라고 불리는 것이기 때문에 called를 써야 한다.

[해석] 그녀는 Kitty라고 불리는 작은 고양이를 가지고 있다.

4. 경기 자체가 흥미 있는 것이기 때문에 exciting이 game을 수식해야 한다.

· Her story was boring.
   그녀의 이야기는 지루했다.

· I was bored to hear her story.
   나는 그녀의 이야기를 듣고 지루함을 느꼈다.

· I am interested in the game.
   나는 그 게임에 흥미가 있다.

interest, bore, excite, surprise와 같은 감정을 나타내는 동사는 주어가 사람인 경우 과거분사가 오고, 무생물이면 현재분사가 온다.

[해석] 그것은 흥미로운 게임이었다.

1. 부사절을 분사구문으로 바꿀 때 부사절의 접속사를 생략하고, 주절의 주어와 같으면 부사절의 주어를 생략하고 동사를 ~ing로 고친다.

· When I came into the room, I found him sleeping.
   = Coming into the room, I found him sleeping.

2. 분사구문으로 바꿀 때 분사구문의 주어가 주절의 주어와 같지 않으면 주어를 생략하지 않는다.

· Since it was cloudy, we could not enjoy the view.
   = It being cloudy, we could not enjoy the view.

3. 분사구문으로 바꿀 때 분사구문의 시제가 주절의 시제와 같을 경우에는 단순형 분사(-ing)를 쓰지만,

주절보다 앞선 시제일 땐 완료형 분사(having + p.p)
를 쓴다.

· When he had finished his work, he went home.
  = Having finished his work, he went home.

그녀를 즉시 알아본 것보다 그녀를 전에 본 것이 더 과
거이기 때문에 완료형 분사가 들어가야 한다.

· Having seen the girl before, I could recognize
  her at once.
  = As I had seen the girl before, I could recognize
  her at once.
  전에 그녀를 봤기 때문에, 나는 그녀를 금방 알아볼 수
  있었다.

1. Generally speaking(일반적으로 말해서)은 비인칭
독립 분사구문으로서 숙어처럼 암기해야 한다.

2. Smiling brightly는 '밝게 웃으면서'라는 뜻의 분사
구문이다.

3. Frankly speaking은 '솔직히 말하면'이라는 뜻의 분
사구문이다.

4. 「with + 목적어 + 분사」는 '～한 채'라고 해석되는
분사구문으로서 목적어와 분사의 관계가 능동이면 현
재분사(～ing)를 쓰고, 수동적이면 과거분사(p.p)를
쓴다.

1.

[해석] 한 남자가 우체국의 탁자에서 뭔가를 쓰고 있는
여자에게 다가왔다. 그는 손에 깁스를 하고 있었
다. "죄송하지만, 이 엽서에 저 대신 주소를 적
어 주시겠습니까?"라고 남자가 말했다. 여자는
기꺼이 그렇게 해주었고, 또한 그를 위해 짧은
글을 써 주고 서명도 해 주었다.
"자, 이것 말고 제가 해드릴 일이 또 있습니까?"
하고 여자가 미소를 지으며 말했다.
남자는 "예, 끝에다가 '추신-필체를 용서해 주세
요'라고 써 주시겠습니까?"라고 대답했다.

[어휘] approach 접근하다, 다가가다
address (봉투 따위에) 주소를 쓰다
cast 깁스, 주형, 주조물
sign 서명하다, 사인하다
handwriting 필체, 육필

[해설] (A)는 '쓰고 있는'의 능동적 의미로 a woman을
수식한다. (B)는 연속동작을 나타내는 분사가 되
어야 한다. (C)는 부대상황을 나타내는 분사가
필요하다. 따라서 (A), (B), (C) 모두 현재분사가
적절하다.

2.

[해석] 취미 즐기기의 장점은 시간을 즐겁게 보낸다는
것이다. 주말에 많은 사람들이 무얼 해야 할지,
어디로 가야 할지를 알지 못한다. 그래서 그들은
집에 남아 TV를 보면서 가족을 성가시게 한다.
그러나 만일 그들이 어떤 일에 관심이 있다면,
그들은 다른 사람의 삶을 간섭할 수 없을 만큼
그 일로 인해 바쁘게 될 것이다. 이것이 가족 구
성원 간에 행복을 가져다 줄 것이다. 그리고 식
구들에게 같은 취미를 즐기자고 청하면 가족을

행복하게 만들 수 있다.

어휘 advantage 이점, 장점

interfere in 참견하다, 간섭하다

share 공유하다

해설 ①은 전치사 of의 목적어가 되는 동명사이고, ②는 「의문사 + to부정사」 구문이다. ③은 watching과 병렬구조를 이루는 분사구문으로 주어가 동작의 주체이므로 현재분사를 써야 한다. ④는 조건의 분사구문으로서 asking이 올바르며 ⑤는 「ask + 목적어 + to부정사」 구문이므로 to share로 쓰는 것이 맞다.

3.

해석 하루에 두 번이나 Maria가 울고 있었다. 두 번 다 Michael이 원인이었다. Maria의 짧은 손가락 때문에 그녀가 얼마나 속상해했는가! Michael은 항상 미안하다고 했지만, 이내 Maria를 다시 울리곤 했다. 우리에게 일어난 나쁜 일들을 너무 오래 기억하는 것은 좋지 않다. 하지만 그런 일들을 너무 빨리 잊어버리는 것도 역시 좋지 않을 수 있다. 난 Maria에게 Michael의 사과를 받아들여서는 안 된다고 말했다. 그녀는 오랫동안 그와 말하는 것을 거부해야 한다. 그렇게 하면 그도 생각하지 않을 수 없을 것이다!

어휘 accept 받아들이다

apology 사과

refuse 거절하다

해설 ① 과거에 울고 있었던 사실을 나타내므로 진행의 의미가 있는 현재분사가 들어가는 것이 적절하다.

4.

해석 한 환자가 전에 방문한 적이 없는 의사에게 갔다. 진료실로 들어갔을 때 그는 "초진은 20달러, 재진은 10달러"라는 안내판을 보았다. 돈을 아끼기 위해 그는 의사에게 "다시 만나 봬서 반갑

습니다."라고 인사했다. 의사는 고개를 끄덕여 인사를 하고, 진찰을 시작했는데, 진찰을 하던 그의 표정이 심각해졌다.

"의사 선생님, 뭡니까?"라고 환자가 물었다.

"음," 의사는 청진기를 내려놓으며 말했다. "지난번에 오셨을 때 하라고 말씀드린 것과 똑같이 계속 하시면 됩니다."

어휘 subsequent 이어서 일어나는, 수반되는

expression 표정

grave 심각한

patient 환자

해설 ③은 분사구문으로 turning의 의미상의 주어(his expression)가 주절의 주어(the doctor)와 일치하지 않으므로 의미상의 주어를 생략하지 말고 his expression turning로 써야 한다.

동명사

A	1. to go 2. watching
	3. eating 4. passing
	5. cleaning
B	1. point, leaving 2 help, crying
	3. prevented, from
C	⑤
D	1. 그들은 생각하기 위해서 멈추었다.
	2. 나는 어딘가에서 그를 만났던 것을 기억한다.
	3. 그는 가난한 사람을 돕는 데 일생을 바쳤다.
	4. 건강이 재산보다 중요하다는 것은 말할 필요도 없다.

1. decide는 to부정사를 목적어로 취하는 동사이기 때문에 to go를 써야 한다. to부정사를 목적어로 하는 동사에는 미래적인 뜻을 지닌 decide, desire, hope, want, promise 등이 있다.

[해석] 그녀는 파리로 가기로 결정했다.

2. enjoy는 동명사(-ing)를 목적어로 취하는 동사이기 때문에 watching을 써야 한다. 동명사를 목적어로 하는 동사로는 enjoy, mind, stop, give up, finish 등이 있다.

[해석] 나는 서커스 행렬 보는 것을 즐겼다.

3. feel like ～ing(～하고 싶다)는 숙어처럼 외워야 하는 관용적 표현이다.

[해석] 나는 어떤 것도 먹고 싶은 기분이 아니다.

4. 전치사 뒤에 동사를 써야 하는 경우에는 동명사로 써야 하므로 passing이 맞다.

[해석] 나는 시험에 합격할 것을 확신한다.

5. need는 동명사와 함께 쓰이면 수동의 의미를 나타낸다. 비디오 카메라가 닦여질 필요가 있다는 뜻이므로 동명사 cleaning이 적절하다. 또는 My video camera needs to be cleaned.라고 표현할 수 있다.

[해석] 나의 비디오 카메라를 닦아야 한다.

1. be about to + 동사원형 = be on the point of ～ing (막 ～하려고 하다)

- I'm about to turn on the radio.
  = I'm on the point of turning on the radio.
  나는 막 라디오를 켜려던 참이다.

2. cannot but + 동사원형 = cannot help + ～ing (～하지 않을 수 없다)

- I can't but laugh. = I can't help laughing.
  나는 웃지 않을 수 없다.

3. prevent A from ～ing : A가 ～하지 못하게 하다

① a sleeping car = a car for sleeping (침대차)
② a waiting room = a room for waiting (대기실)
③ a dancing hall = a hall for dancing (무도실)
④ a smoking space = a space for smoking (흡연실)
⑤ a singing girl = a girl who is singing (노래하는 소녀)

①~④는 목적이나 용도를 나타내는 동명사이고 ⑤는 '~하고 있는'의 뜻으로 쓰인 현재분사이다.

1. stop + to부정사 : ~하기 위해서 멈추다
   stop + ~ing : ~하는 것을 멈추다

- I stop to smoke.
  나는 담배를 피우기 위해서 멈췄다.

- I stop smoking.
  나는 담배 피우는 것을 멈췄다. = 담배를 끊었다.

2. remember[forget] + to부정사 : 앞으로 ~할 것을 기억하다[잊다]
   remember[forget] + ~ing : ~했던 것을 기억하다[잊다]

- I remember to send her a gift.
  나는 그녀에게 선물을 보내야 할 것을 기억한다.

- I remember sending her a gift.
  나는 그녀에게 선물을 보낸 것을 기억한다.

3. devote … to + ~ing(…을 ~하는 데 전념하다)에서 to는 전치사이기 때문에 뒤에 ~ing를 써야 한다는 것에 주의한다. 이와 같은 예로, look forward to + ~ing(~하는 것을 고대하다), be used to + ~ing(~하는 것에 익숙하다), object to + ~ing(~하는 것을 반대하다) 등이 있다.

4. it goes without saying that ~ = It is needless to say that ~ : ~은 말할 필요도 없다

- It goes without saying that students have to work hard.
  학생들이 공부를 열심히 해야 한다는 것은 말할 필요도 없다.
  = It is needless to say that students have to work hard.

Real Test

1. ① 2. ⑤ 3. ① 4. ②

1.

[해석] 한 술꾼이 술을 끊기로 결심했다. 어느 날 그는 집에서 가까운 상가로 쇼핑을 나갔다. 쇼핑이 끝나고 집에 돌아오는 도중에 그는 한 술집에 이르렀다. "나를 시험하는 곳이 있군" 하며 그는 혼잣말을 하고 그곳을 달려서 지나쳤다. 그는 이 성공에 기분이 좋았다. 이윽고 그는 또 다른 술집에 이르렀고 즉시 똑같이 뛰어서 지나갔다.

[어휘] make up one's mind 결심하다(= decide)
give up 포기하다
go ~ing ~하러 가다
on one's way 도중에
pub 술집(= public house)
by and by 이윽고
say to oneself 혼잣말하다
at once 즉시, 당장

[해설] ① give up은 동명사를 목적어로 취한다. ② go~ing(~하러 가다)이므로 shopping이 올바르다. ⑤의 did the same은 앞 문장에 나온 passed it running을 받아 '똑같이 뛰어서 지나갔다'는 의미이다.

2.

[해석] Ellen은 아름답고 부드러운 머릿결과, 진하고 부드러운 눈을 가졌으며, 부드러운 색깔의 옷을 입고 있었다. 그녀는 좋은 직장이 있고, 많은 부드러운 색깔의 옷을 살 수 있기 때문에 자신이 매우 행복하고 운 좋은 사람이라고 생각했다. 아마도 곧 그녀는 훌륭한 젊은이와 사랑에 빠질 것이고 그들은 결혼을 할 것이다. 그녀는 빵 굽는 일과 양말 수선하는 일에 전념할 것이다.

어휘 fair 꽤 많은, 상당한

a number of ~ 많은 ~

fall in love with ~와 사랑에 빠지다

devote oneself to ~ing ~에 전념하다

bake (빵 등을) 굽다

mend 수선하다, 고치다

해설 ⑤는 devote oneself to ~ing(~에 전념하다)의 형태이어야 하므로 baking cakes가 되어야 한다. and 뒤에 오는 mending에서도 문제 풀이의 단서를 찾을 수 있다.

3.

해석 노래는 아마도 이 세상 최초의 음악이었을 것이다. 오늘날에도 여전히 사람들은 노래하기를 즐긴다. 모두가 노래의 가사와 곡조를 배우길 좋아한다. 어떤 사람들은 혼자 하기를 좋아하고 다른 사람들은 모임에 가입하기를 더 좋아한다. 어디에서든지 사람들은 대체로 노래를 부르는 만큼 행복하다. 목소리가 노래에 이용된다. 그것은 높거나 낮은 소리를 만든다. 또한 깊고 풍부한 소리도 만들 수 있다.

어휘 probably 아마도

words (노래)가사, (연극)대사

tune 곡조

해설 (A) enjoy는 동명사만을 목적어로 취하는 동사이기 때문에 doing이 올바르다. (B) would rather 다음에는 동사원형이 와야 하므로 join이 올바르다.(would rather: 오히려 ~하고 싶다). (C) 전치사 뒤에는 동명사가 와야 하므로 singing이 되어야 한다.

4.

해석 John은 요즘 숙제를 하느라 바쁘다. 그래서 그는 이번 주말에 산으로 캠핑 가기를 고대하고 있다. 그는 몇 마일을 걸을 것이고 많은 사진을 찍을 것이고 집에서의 모든 일을 잊을 것이다. 그는 아침에 늦게 일어나고 그곳에서 3일간 조용한 저녁을 즐기기를 계획하고 있다.

어휘 these day 요즘

be busy ~ing ~하느라 바쁘다

look forward to ~ing ~를 고대하다

해설 look forward to는 뒤에 명사나 동명사만을 목적어로 취하는 구문이므로 ②는 go 대신에 going이 와야 옳다.

Chapter 6
수동태

Let's Drill

A	1. was born	2. washes
	3. was called	4. to study
B	1. at 2. about 3. of 4. with
C	①
D	1. repair → repaired
	2. for me → of me
	3. by → with
	4. enter → to enter

1. 위치, 출생, 사망과 관련된 내용은 주로 수동태로 나타낸다.

· The house is situated on the hill.
  그 집은 언덕 위에 있다.

· He was killed in the accident.
  그는 그 사고로 죽었다.

· She was born in Seoul.
  그녀는 서울에서 태어났다.

[해석] 나는 1982년에 태어났다.

2. Mr. Kim이 차를 세차하는 주체자이기 때문에 능동태인 washes를 써야 한다. 주어가 the car라면 'The car is washed by Mr. Kim every day.' 가 된다.

[해석] Mr. Kim은 매일 차를 세차한다.

3. 그가 바보라고 불리는 입장이기 때문에 수동태(was called)로 써야 한다.

[해석] 그는 모든 사람에게 바보라고 불렸다.

4. 사역동사나 지각동사가 있는 문장이 수동태로 전환되어 쓰이는 경우에는 원형부정사 앞에 to를 붙인다.

· I made my son clean his room.
  나는 아들에게 방을 청소하라고 시켰다.
  → My son was made to clean his room by me.

· I saw my sister dance in her room.
  나는 여동생이 방에서 춤추는 것을 봤다.
  → My sister was seen to dance in her room by me.

[해석] 엄마는 내가 공부를 열심히 하게 했다.

1. 감정이나 심리 상태는 대개 수동태로 나타내는데 동사에 따라서 쓰이는 전치사가 달라지기 때문에 숙어처럼 암기해야 한다.

be surprised at : ~에 놀라다

2. be concerned about : ~에 대해 걱정하다

3. be made of는 물리적 변화를, be made from은 화학적 변화를 나타낸다. 집은 돌의 성질을 그대로 살려서 만드는 것이기 때문에 be made of를 써야 한다.

· Wine is made from grapes.
  와인은 포도로 만들어진다.(포도를 화학적으로 변화시켜야 와인이 되기 때문에 be made from을 쓴다.)

4. be satisfied with : ~에 만족하다

4형식 동사 중 make, buy, sell, send, bring, write 등의 동사는 의미상 간접목적어를 주어로 한 수동태를 만들 수 없다.

직접목적어를 수동태의 주어로 할 경우, 동사와 간접

목적어 사이에 전치사가 필요한데, 동사가 buy, make 등인 경우에는 for를 써야 한다.

- My mother made me a doll.
  → A doll was made for me by my mother.
  인형이 나를 위해 어머니에 의해 만들어졌다.
  → I was made a doll by my mother. (X)
  이 문장은 내가 어머니에 의해 만들어졌다는 의미가 되므로 쓸 수 없다.

1. computer가 수리되는 것이기 때문에 과거분사인 repaired가 와야 한다.

2. ask 동사가 수동태로 쓰인 경우에는 간접목적어 앞에 전치사 of가 필요하다.

3. be satisfied with(~에 만족해하다)는 숙어처럼 암기해야 한다.

4. 지각동사 문장이 수동태로 전환될 경우에는 원형부정사 앞에 to가 붙는다.

- I saw him enter the room.
  → He was seen to enter the room by me.

Real Test

1. ④ 2. ⑤ 3. ③ 4. ②

1.

[해석] 만화란 이야기를 들려주거나 메시지를 전달하는 그림이다. 대부분의 만화는 사람들을 웃게 만든다. 어떤 것들은 심각하기도 하다. 그중 많은 것들이 중요한 교훈을 가르쳐 준다. 그것들은 사람들이 생각하도록 만든다. 때로는 그림만이 독자적으로 의미를 갖는다. 대개 의미를 명확히 하는 데 도움을 주려고 글이 추가된다.

[어휘] cartoon 만화

drawing 그림

lesson 교훈

message 전할 말, 메시지

[해설] ④ add의 주어인 words는 add라는 동작의 주체가 아니라 사람들에 의해 첨가되는 대상이므로 수동태인 are added로 고쳐야 한다. ⑤ help 뒤에 동사를 써야 하는 경우에 동사원형이나 to부정사 모두 가능하다.

2.

[해석] 오래 전에는 초를 태워서 집을 밝혔다. 동굴에서 생활하던 사람들은 아마도 동물 기름을 막대기에 발라서 태울 수 있다는 것을 알았던 것 같다. 나중에는 그저 그 기름만 그릇에 담아 태워서 방을 밝혔다. 다음에 사람들은 오늘날의 초와 같이 각각의 중심에 얇은 천 조각을 끼운, 길다란 기름 조각을 사용했다. 그 후 마침내 방을 밝히기 위해 초가 만들어졌다.

[어휘] candle 초, 양초

fat 유지(기름)

cave 동굴

coat 칠하다

stick 막대기

holder 그릇, 용기

strip 길고 가느다란 조각

[해설] (A), (B), (C) 모두 주어가 사물로서 동작을 당하는 대상이므로 수동태(be + 과거분사)로 나타내야 올바른 표현이 된다.

3.

[해석] 두 소년은 집에서 저녁을 먹지 않았다. 대신 그

들은 더블린에서 런던으로 그들을 데려다 줄 배에 올라탔다. 그들은 돈을 한 푼도 내지 않았다. 그들은 기차표 요금도 내지 않았다. 그리고 그 두 소년은 런던 공항으로 가는 버스 승차권을 내라는 말도 듣지 않았다.

어휘) instead ~대신에

get onto ~위에 오르다

ferry 배

from A to B A에서 B까지

either 또한, 역시(부정문에서)

pay for 지불하다

해설) (A) '데려가다'라는 능동의 의미로 쓰였기 때문에 took가 올바르다. (B) 부정문에서 '또한'의 의미를 나타낼 때는 either를 쓴다. (C) 두 소년은 버스 승차권을 내라는 요구를 받지 않은 것이므로 수동태인 weren't asked가 적절하다

4.

해석) 그는 1477년 런던에서 유명한 판사의 아들로 태어났다. 어린아이였을 때 그는 St. Anthony's school에서 교육을 받았으며 13세부터 심화 교육을 받기 위하여 Canterbury의 대주교 집안에서 살게 되었다. 여기에서 그의 쾌활한 성격과 명석한 지능이 대주교의 관심을 끌었고, 주교는 그를 1492년에 학업을 위해 옥스퍼드로 보냈다.

어휘) noted 유명한, 저명한

judge 판사, 재판관

household 가족, 가구

merry 즐거운

character 성격

brilliant 명석한, 총명한

intellect 지능

notice 주의, 주목

해설) ① '태어났다'는 표현은 수동 형태인 was born이 올바르다. ②는 그가 교육을 시킨 것이 아니

라 '교육을 받은' 것이기 때문에 was educated가 되어야 한다. 수동태와 능동태를 묻는 문제는 주어와의 관계를 따져서 주어가 당하는 입장이면 'be + 과거분사'의 수동태로 써야 한다.

Chapter 7
관사/명사/대명사

Let's Drill

A   1. herself 2. has 3. are 4. It
B   1. himself 2. others 3. the
C   ②
D   1. Mary는 John을 사랑했고, John도 마찬가지였다.
     2. 그는 혼자서 산다.
     3. 그녀가 슬프게도, 그는 외국으로 가버렸다.
     4. 시각장애인이라고 항상 불행한 것은 아니다.

1. 주어인 She 자신이 직접 문제를 해결한 것이기 때문에 강조적 용법으로서 herself가 필요하다.

[해석] 그녀가 직접 그 문제를 풀었다.

2. Each, Every는 언제나 단수로 취급하므로 단수 동사 has가 필요하다.

· Every girls like flowers. (X)
  → Every girl likes flowers. (O)
  모든 소녀들은 꽃을 좋아한다.

[해석] 소년들은 각자 자신의 라켓을 가지고 있다.

3. 「the + 형용사」는 복수 보통명사의 뜻이 된다. 따라서 the poor는 poor people이기 때문에 동사는 복수형인 are가 필요하다.

· The old have to be respected by the young.
  노인들은 젊은이들에게 존경을 받아야 한다.

[해석] 가난한 사람들은 항상 배가 고프다.

4. 시간, 거리, 명암, 날씨 등을 나타낼 때는 비인칭 주어 it이 필요하다.

· It is very cold and windy.
  날씨가 몹시 춥고 바람이 분다.

[해석] 방 안이 매우 어두웠다.

1. 「전치사 + 재귀대명사」의 관용적인 표현은 암기해 두어야 한다. 주어가 he이므로 beside himself로 써야 한다.
  * beside oneself 제정신이 아닌
  * by oneself 홀로
  * of itself 저절로
  * in spite of oneself 자기도 모르게
  * pride oneself 자랑하다

2. 불특정 다수 중 '일부는 ~, 다른 일부는 …'라고 할 경우에는 some(일부는), others(나머지는)로 표현한다.

3. 다음과 같은 표현에서 신체 부위 앞에 a, an과 같은 부정관사를 쓰지 않고, 정관사 the를 쓴다는 데 주의한다.
  * hit(beat, strike) + 목적어 + on the + 신체 부위 :
    ~의 …를 치다
  * catch(hold, take) + 목적어 + by the + 신체 부위
    : ~의 …를 잡다

사람이나 사물이 세 개가 있는 경우에는 one(하나는), another(다른 하나는), the third(나머지 하나는)로 표현한다.

[해석] John은 연필 세 자루가 있다. 하나는 파란색, 다른 하나는 빨간색, 나머지 하나는 검은색이다.

1. 「So + (조)동사 + 주어」는 '역시 ~하다', '~도 마찬가지이다'라는 의미로서 동사는 앞 문장의 (조)동사에 맞추어 써야 한다. 앞 문장이 부정문인 경우에는 「Neither + (조)동사 + 주어」로 해야 한다.

- A : I am happy. 나는 행복해
  B : So am I. 나도 그래.

- A : I am not happy. 나는 행복하지 않아.
  B : Neither am I. 나도 행복하지 않아.

- A : I can do it. 나는 그것을 할 수 있어.
  B : So can she. 그녀도 할 수 있어.

- A : I can't do it. 나는 그것을 할 수 없어.
  B : Neither can she. 그녀도 할 수 없어.

2. by oneself : 혼자서, 홀로

3. to one's sorrow : ~가 슬프게도

4. the blind = blind people : 시각장애인들

Real Test

1. ② 2. ⑤ 3. ① 4. ③

1.

[해석] 나는 매일 나 자신에 대하여 새로운 것을 알게 된다. 나는 내 몸이 어떻게 자라는지를 배운다. 나는 다쳤을 때 무슨 일이 일어나는지 알게 된다. 나는 내 몸이 스스로 치유된다는 것을 알게 된다. 그리고 나는 자라면서 새로운 일을 해야 한다는 것을 안다. 나는 많은 사람을 만날 것이고 여러 곳을 방문할 것이다.

[어휘] cut oneself 다치다
heal 고치다

[해설] (A) cut oneself는 '다치다'의 의미이고 (B) heal itself는 '스스로 고쳐지다, 낫다'의 의미이다. (C) 시간의 부사절에서는 현재가 미래를 대신하기 때문에 grow를 써야 한다.

2.

[해석] 캐나다에 사는 동물들은 어떤 것들이 있을까? 답을 알려면 캐나다의 화폐를 보기만 하면 된다. 1967년에 건국 100주년이 되었을 때 캐나다는 그 나라의 동물들을 동전과 지폐의 일부분에 그려 넣음으로써 그것들을 기념하기로 했다. 예를 들면, 2달러짜리 지폐에서는 북미산 울새를 볼 수 있고, 25센트 동전에서는 북미산 순록을 볼 수 있다. 이것은 캐나다인이 그것들을 얼마나 소중히 여기는지 보여 준다.

[어휘] honor 기념하다
illustrate 설명하다, 보여주다
value 소중히 하다, 가치 있게 여기다

[해설] 하이픈으로 연결되어서 하나의 형용사처럼 쓰이는 합성형용사의 경우, 그 안의 단위 명사는 항상 단수형으로 써야 하므로 ⑤는 twenty-five-cent가 되어야 한다.

3.

[해석] 크고 현대적인 도시에서 많고 작은 아름다운 마을로 가는 것은 낯선 모험이다. Pauline은 오빠인 Robert와 함께 그들의 할아버지의 마을인 아프리카의 한 어촌을 방문할 때 이 사실을 깨달았다.

[어휘] adventure 모험
fishing village 어촌

[해설] (A) 주어는 villages가 아니라 Going~이므로 동사는 is가 되어야 한다. (B) 앞 문장 전체를 받는 대명사 this가 와야 한다. (C) 할아버지는 Pauline과 Robert의 할아버지이므로 their가 적절하다.

4.

해석 사과는 전 세계적으로 가장 인기 있는 식품이다. 어디서든지 사람들이 사과를 먹는다. 그래서 사과는 여러 방식으로 이용된다. 사람들은 무엇보다도 그것들을 신선하게 먹는 것을 좋아한다. 어떤 것들은 건조되고, 통조림으로, 만들어지거나 냉동된다. 다른 것은 사과파이, 구운 사과, 사탕으로 만든 사과나 사과케이크 같이 맛있는 요리로 만들어진다. 사과는 또한 젤리와 사과 버터와 몇 가지 과일 음료로 만들어진다.

어휘 can 통조림으로 만들다

freeze 냉동하다

dish 요리

해설 ③ 앞에 몇몇을 지칭하는 some이 있고 그 나머지를 나타내는 부정대명사가 와야 하는데 동사가 복수이므로 others가 적절하다.

Chapter 8
관계사

Let's Drill

A 1. which 2. who 3. what 4. that
B 1. where 2. What 3. than
C ②
D 1. 그는 소위 말하는 식자이다.
   2. 여기가 내가 사는 집이다.
   3. 누가 그렇게 말했다고 해도 그것은 거짓이다.
   4. 그녀는 아들이 한 명 있었는데, 그는 선생님이 되었다.

1. 선행사가 a bird, 즉 동물이고 뒤에 동사가 바로 나오기 때문에 주격 관계대명사 which가 들어가야 한다.

해석 이것은 날지 못하는 새이다.

2. 선행사가 the man, 즉 사람이고 뒤에 동사가 바로 나오기 때문에 주격 관계대명사 who가 들어가야 한다.

해석 이분이 피아노를 연주하신 분이다.

3. 관계대명사 앞에 선행사가 없으면 관계대명사가 선행사를 포함하고 있어야 하기 때문에 what이 적합하다. what은 명사절을 이끌어서 주어, 목적어, 보어 역할을 한다.

해석 우리는 진실된 것을 사랑한다.

4. 선행사 앞에 the very가 있고 목적격 관계대명사가 필요하기 때문에 that이 적합하다.

해석 그가 우리가 찾고 있던 바로 그 사람이다.

1. 「전치사 + 관계대명사」는 관계부사로 바꿔 쓸 수 있다.

- This is **the house**. + She lives in **the house**.
  = This is the house **which** she lives **in**.
  = This is the house **in which** she lives.
  = This is the house **where** she lives.

2. 관계대명사 what을 사용한 관용적 표현은 암기해 두어야 한다.

- what is worse (더욱 나쁜 것은)
- what is better (더욱 좋은 것은)
- what is called (소위)
- what one has (재산)
- what one be (인격)

3. 선행사 money 앞에 more가 있기 때문에 유사관계 대명사 than이 적합하다.

②의 that은 the fact의 동격절을 이끄는 접속사 역할을 하고 있으며, 나머지 that은 모두 관계대명사로 쓰였다. that이 관계대명사로 쓰일 때는 앞에 선행사가 있고, 뒷문장이 완벽하지 않다.

1. what we call은 '소위'라는 뜻인 what의 관용적 표현이다.

2. in which는 관계부사 where와 같은 의미로, 앞에 있는 선행사 house를 수식해서 해석하면 된다.

3. 「관계대명사 + ever」의 복합관계대명사가 명사절을

이끌 때는 '~하는 사람(것)은 …라도'라는 뜻으로 해석되고, 복합관계대명사가 부사절을 이끌면 양보의 의미로 '~하더라도'라고 해석된다.

ⓐ **Whoever** breaks this rule will be punished.
   (Whoever = Anyone who)
ⓑ **Whoever** may break this rule, he will be punished. (Whoever = No matter who)

ⓑ와 같이 whoever~를 생략해도 he will be punished라는 완벽한 문장이 남으면 일반적으로 부사구(절) 구실을 한다고 보면 된다.

4. 관계대명사는 한정적 용법과 계속적 용법이 있는데 형태로 구별할 때, 관계대명사 앞에 콤마(,)가 있으면 계속적 용법이고, 콤마가 없으면 한정적 용법이다. 한정적 용법인 경우 관계대명사가 이끄는 절이 앞에 있는 선행사를 수식하는 형용사절로 해석하고, 계속적 용법이면 관계대명사절을 앞 문장에 이어서 해석한다.

She had a son **who** became a teacher. (한정적 용법)
그녀는 선생님이 된 아들 한 명이 있다.

She had a son, **who** became a teacher. (계속적 용법)
그녀는 아들이 한 명 있는데, 그 아들이 선생님이 되었다.

Real Test

1. ② 2. ① 3. ② 4. ⑤

1.

[해석] 말레이시아 남쪽 끝에 떨어져 있고 싱가포르와 만을 사이에 둔 건너편에 매우 강한 전통 문화를 가진 두 개의 인도네시아 섬이 있다. 그 섬들의 이름은 Bintan과 Penyengat이다. 이 섬들은 초기 식민지 시대에는 매우 중요했으나 나중에는 거의 잊혀졌다. 최근에는 다시 외부 세계의 관심을 끌고 있다. 이 섬들의 사람들은 변하고 있으며 현대적인 방식을 받아들이고 있으나, 자신들의 문화는 수백 년 전과 유사하게 유지하고

있다.

어휘 tip 끝, 첨단

bay 만(彎)

traditional 전통의

colonial 식민지의

attract 매혹하다, 끌어들이다

attention 관심, 주의, 집중

해설 선행사가 two Indonesian islands로 사람이 아니고 뒤에 동사가 이어지므로 주격 관계대명사 which가 들어가야 적절하다.

참고 비슷한 형태의 동사에 대해서 잘 알아 두어야 한다.

- lie – lay – lain (놓여 있다 : 자동사)
- lay – laid –laid (두다, 눕히다 : 타동사)
- lie – lied – lied (거짓말하다)

2.

해석 뉴욕에 처음 왔을 때, 나에게는 내가 생각하기에 멋진 것, 즉 성공에 이르는 지름길이 있었다. 그것은 다음과 같았다. 나는 John Drew, Walter Hampden과 Otis Skinner 등 당시 유명한 배우들이 어떻게 성공했는지 연구할 작정이었다. 그리고 그들의 가장 좋은 점을 모방하려 했다. 얼마나 어리석은가? 나는 내가 다른 누군가가 될 수 없다는 사실과 더불어, 내 삶의 오케스트라에서 나 자신만의 악기를 연주해야 한다는 것을 깨닫기 전에 다른 사람을 모방하면서 내 삶을 낭비해야 했다.

어휘 brilliant 멋진, 훌륭한

shortcut 지름길

imitate 모방하다

waste 허비하다, 낭비하다

instrument 악기

해설 앞에 선행사가 없고 '～하는 것'의 의미를 나타내야 하기 때문에 선행사를 포함하는 관계대명사 what이 적절하다.

3.

해석 대부분의 열기구들은 집보다 크다. 기구들은 뜨거운 공기가 찬 공기보다 가볍기 때문에 뜰 수 있다. 바람 조정 기계가 기구를 공기로 채우고 나면, 그 공기는 작은 버너에 의해 데워진다. 여러분은 사실 기구의 키를 조정할 수 없다. 바람이 기구를 적절한 방향으로 밀어주기 전까지, 조종사가 기구를 위아래로 이동시킨다. 승객들은 기구 바닥에 부착된 바구니에 탑승한다.

어휘 balloon 풍선, 기구

float 뜨다, 떠오르다

fill A with B A를 B로 채우다

burner 연소기, 버너, 점화구

steer 조정하다, ～의 키를 잡다

direction 방향, 방위

attach ～을 붙이다, 부착하다

bottom 밑바닥

해설 (A) because 뒤에는 「주어 + 동사」의 절이 나와야 하고, because of 뒤에는 구가 나와야 한다. 여기서는 뒤에 「주어 + 동사」의 절이 나왔으므로 because가 적절하다. (B) 앞의 air를 선행사로 취하는 계속적 용법의 주격 관계대명사가 필요한데, that은 계속적 용법으로 쓰이지 않으므로 which가 적절하다. (C) '부착된'이라는 수동적 의미로 앞에 a basket을 수식해야 하므로 attached가 적절하다. a basket which is attached에서 which is가 생략된 형태이다.

4.

해석 훌륭한 지도자들은 그들이 믿는 것을 위해 싸울 수 있도록 그들의 추종자들을 격려해야 한다. 그들은 개인적인 행동에 대한 높은 기준을 가지고 있어야 하고 그들의 행동에 모범을 보여야만 한다. 그들은 필요한 것 외에 많은 말을 할 필요가 없다. 그들은 결정해야 한다.; 그들은 그들이 마주치는 문제들 때문에 좌절하지 않는다. 그들은 필요하다면 긴 투쟁을 준비해야 한다.

어휘 inspire 격려하다, 고무시키다

follower 추종자

set an example 모범을 보이다

determine 결정하다

discourage 좌절시키다

encounter 맞닥뜨리다

해설 what은 선행사를 포함하는 관계대명사로서, 이 문장에서는 앞에 선행사 the problems가 있으므로 관계대명사를 that으로 바꾸는 것이 옳다.

Chapter 9
가정법

Let's Drill

A	1. were		2. would type
	3. Were I		4. were
B	1. had		2. will
	3. have passed		
C	④		
D	1. 그의 도움이 있었으면 나는 성공했을 텐데.		
	2. 공기와 물이 없다면 우리는 살 수 없다.		
	3. 만일 그가 더 열심히 공부하려고 한다면, 그는 성공할 수 있을 것이다.		
	4. 집에 일찍 돌아가지 않으면 너는 혼날 것이다.		

1. 가정법에서는 원칙적으로 주어가 I라도 were를 써야 한다. 그러나 현대 영어에서는 was도 쓰이는 추세이다

· If I **were** you, I wouldn't retire.

해석 내가 너라면, 나는 은퇴하지 않을 것이다.

2. 가정법 과거이기 때문에, 주절에는 「조동사의 과거형 + 동사원형」이 와야 한다.

· If I had a typewriter, I **would type** it myself.

해석 타자기를 가지고 있다면, 나는 그것을 직접 칠 것이다.

3. 가정법에서 조건절의 if가 생략되면 도치가 일어나, 「동사 + 주어」의 어순으로 바뀐다.

· **Were I** you, I wouldn't choose that book.

[해석] 내가 너라면, 그 책을 선택하지 않을 텐데.

4. as if(마치 ~인 것처럼)는 가정법 구문으로 쓸 수 있으며 가정의 의미로 사용할 때는 가정법 시제를 따른다.

· She feels as if she **were** flying in the air.

[해석] 그녀는 마치 하늘 날고 있는 것처럼 느낀다.

1. 직설법을 가정법으로 전환할 때는 해석상으로 고칠 수 있지만 방법을 정리하면 아래와 같이 요약할 수 있다.

접속사	시제		긍정/부정	
직설법(As)	현재	과거	긍정	부정
가정법(If)	과거	과거완료	부정	긍정

· As I am not you, I don't act so.
  = If I **were** you, I should act so.

2. 가정법 현재
If + 주어 + 동사원형(또는 현재시제), 주어 + will
[may, can, shall] + 동사원형

3. 가정법 과거완료
If + 주어 + had + 과거분사, 주어 + would[could, should] + have + 과거분사

과거에 몰랐던 사실을 알았으면 하는 소망을 나타내기 때문에 had known이 적합하다.

I wish	주어 + 과거동사 (가정법과거 – 현재 사실에 반대)
	주어 + had + 과거분사 (가정법 과거완료–과거에 실현하지 못한 소망)

· I wish I **had known** the fact.

  = I am sorry I did not know the fact.

1. With his help는 전치사 with가 조건절을 대신하는 경우이다.

· **With his help**, I would have succeeded.
  그의 도움이 있었더라면, 내가 성공할 수 있었을 텐데.
  = **If I had his help**, I would have succeeded.

2. But for는 가정법 구문으로 '만약 ~이 없다면'으로 해석되며, without이나 if it were not for로 바꾸어 쓸 수 있다.

· **But for** air and water, we could not live.
  공기와 물이 없다면, 우리는 살 수 없다.
  = **Without** air and water, we could not live.
  = **If it were not for** air and water, we could not live.

3. 가정법 미래
If + 주어 + should + 동사원형, 주어 + would
[should] + 동사원형

4. unless는 if ~not의 의미로 '만약 ~하지 않는다면'으로 해석해야 한다.

· **Unless** you go back home early, you will be punished.
  만약 네가 집에 일찍 돌아오지 않는다면, 너는 혼날 것이다.
  = **If** you **don't** go back home early, you will be punished.

1.

[해석] 어떤 사람들은 칭찬하는 것을 일종의 나약함과 연관시킨다. 그 사고방식은 만일 내가 칭찬을 너무 많이 하면, 그것은 내가 일을 충분히 하지 않았거나 일을 제대로 하지 못한 것을 의미하는 것이라는 것이다. 한 번은 한 여성이 나에게 그녀의 남편에게 집안일을 거들어주는 것에 대해서 고맙다고 말하고 싶지 않다고 했다. 그 이유는 그녀가 남편보다 훨씬 많은 일을 했고, 만일 그녀가 그에게 칭찬을 하면, 그가 그녀보다 일을 더 많이 한다고 생각할까 봐서라고 했다. 이 이유는 매우 잘못된 것이다. 사람들은 칭찬을 필요로 하고, 그것으로 더 발전하며, 칭찬을 고마워한다. 칭찬을 하는 것의 중요성을 인식하고 그렇게 하도록 하여라.

[어휘] associate 연관시키다
compliment 칭찬
appreciate 감사하다
flaw 결점을 가지다
thrive 번성하다, 번영하다

[해설] if절에 'were to + 동사원형'이 쓰인 것으로 보아, 이는 가정법 미래임을 알 수 있다. 따라서 주절에도 가정법 시제에 맞게 '조동사의 과거형 + 동사원형'이 들어가야 하므로 ①은 it would mean that이 되어야 한다.

2.

[해석] 지난밤 Miller 부부는 케이크를 구우려 했다. 그래서 그들은 케이크 굽는 법을 알기 위해서 책을 찾아 보았다. 그러나 그들은 케이크를 구울 때 그 방법을 따르지 않았다. 그들은 따르지 않았던 것을 정말 후회하고 있다. 만일 그들이 그 방법을 따랐다면 그들은 옳은 재료를 사용했을 것이다. 그리고 만일 그들이 옳은 재료를 사용했다면 케이크가 그렇게 돌처럼 딱딱하지 않았을 것이다. 그리고 그들의 아이들이 맛있게 먹을 수 있었을 것이다.

[어휘] look up 찾아보다
follow 따르다
ingredient 재료, 원료
deliciously 맛있게

[해설] If절의 had followed로 보아, 가정법 과거완료이므로 주절의 동사는 '조동사의 과거형 + have + 과거분사'가 되어야 한다. 따라서 'would have used'가 적절하다.

3.

[해석] 어떤 섬에 좌초된 세 친구가 있었다. 섬을 탐험하다가 그 세 사람은 병 하나를 발견해서 그것을 열었다. 요정이 나와서 그들에게 세 가지 소원을 들어주겠다고 말했다. 첫 번째 남자가 "가족과 함께 있으면 좋겠어요."라고 말하자, 그는 가족과 함께 있게 되었다. 두 번째 남자가 "옛날 친구들과 술집에 함께 있으면 좋겠어요."라고 말하자 그는 사라졌다. 세 번째 남자는 "난 외로워서 나의 친구들이 여기 있으면 좋겠어요."라고 말했다. 그의 두 친구는 섬으로 돌아왔다.

[어휘] strand 좌초시키다
explore 탐험하다
bottle 병
genie (아라비아 동화의) 요정
grant 들어주다, 베풀다

[해설] 빈칸 (A), (B), (C)에는 I wish 가정법에 맞는 동사가 들어가야 한다. 가정법에는 원칙적으로 were가 쓰이며, 문맥상 모두 가정법 과거에 해당하므로 모두 were가 들어가는 것이 적절하다.

4.

미국인들은 세심하게 시간을 절약한다. "우리는 그 무엇에도 노예가 아니지만 시간에는 노예이다."라고 말한다. 시간은 마치 구체적인 물건처럼 취급된다. 우리는 시간을 계획하고, 절약하고, 훔치고, 보내고, 자르고, 세고 심지어 시간에 돈을 물리기도 한다. 그것은 소중한 상품이다. 많은 사람들이 각자의 인생이 짧음에 대해 다소 강한 느낌을 가지고 있다. 일단 누군가의 모래시계에서 모래가 떨어지면 이것을 대체할 수가 없다. 미국인들은 매 순간을 중요하게 여기려고 한다.

어휘   treat 다루다, 취급하다

solid 구체적인, 단단한

budget 예산을 세우다

charge for ~에 요금을 청구하다

precious 소중한

run out of ~에 다 떨어지다

hourglass 모래시계

replace 대체하다

count 세다

해설   ②는 as if 가정법이 쓰였으므로 be동사는 were를 쓰는 것이 적절하다.

Chapter 10
비교와 일치

Let's Drill

A	1. hard 2. more 3. richest 4. to
B	1. the, colder 2. no, more, than
	3. possible
C	⑤
D	1. was → is 2. have → has 3. are → is
E	1. 고래가 물고기가 아닌 것은 말이 물고기가 아닌 것과 같다.
	2. 이 책이 저 책보다 훨씬 무겁다.

1. 'as + 형용사/부사 + as'는 원급 비교로서 as ~ as 사이에는 반드시 형용사나 부사의 원급을 써야 한다. as ~ as one can = as ~ as possible (가능한 ~한)

· He worked as **hard** as he could.

해석   그는 그가 할 수 있는 한 열심히 일했다.

2. than이 있기 때문에 앞에 비교급이 와야 하므로 more가 필요하다.

· She has **more** money than he.

해석   그녀는 그보다 많은 돈을 가지고 있다.

3. the가 있기 때문에 최상급이 필요하므로 richest가 맞다.

· He is the **richest** man in Korea.

해석   그는 한국에서 가장 부유한 남자이다.

4. −or로 끝나는 라틴어 계열의 비교급에서는 than 대신에 to를 사용해야 한다.

· She is superior than me in study. (X)
  She is superior **to** me in study. (O)

해석 그녀는 학업에서 나보다 우수하다.

1. the + 비교급~, the + 비교급… (~하면 할수록 점점 더 …하다)
이 표현은 비교급이라도 앞에 반드시 the를 사용해야 한다.

· **The higher** we go up, **the colder** it becomes.

2. no more than은 only와 같은 뜻으로 '단지'으로 해석된다.

· This dictionary contains **no more than** 20,000 words.

3. as ~ as possible = as ~ as one can (가능한 ~ 한)

· Get up **as** early **as possible**.

① ~ ④는 최상급의 의미를 가지고 있는 원급, 비교급의 표현이다.
최상급 = 부정어 ~ as + 원급 + as
       = 부정어~ 비교급 + than
       = 비교급 + than any other + 단수명사
       = as + 원급 + as + any other + 단수명사
⑤는 비교 표현이지만 최상급의 의미는 아니다.

1. 불변의 진리, 사실, 속담은 항상 현재시제를 사용해야 하므로 시제 일치의 영향을 받지 않는다.
(was → is)

해석 아버지는 시간이 돈이라고 말씀하신다.

2. either A or B 구문이 주어일 때 B에 동사를 일치시켜야 한다. (have → has)

해석 너 아니면 그녀 중 한 사람은 거기에 가야 한다.

3. 'the number of + 복수명사'는 단수 취급하므로 단수동사로 받고, 'a number of + 복수명사'는 복수 취급하므로 복수동사 받는다. (are → is)

해석 소년들의 수가 증가하고 있다.

1. A no more B than C (A가 B가 아닌 것은 C가 아닌 것과 같다)

해석 고래가 물고기가 아닌 것은 말이 아닌 것과 같다.

2. 비교급 앞에 even, much, still, far, a lot 등의 부사를 쓰면 비교급을 강조하는 역할을 한다.

해석 이 책은 그 책보다 훨씬 무겁다.

1.

해석 여러분도 알다시피, 회장님이 우리 공장을 다음 달에 방문할 예정입니다. 회장님이 오시기 전에 많은 일들이 행해져야 합니다. 공장 간판을 교체하고 모든 공장을 다시 페인트 칠해야 합니다. 새로운 창문 가리개를 모든 사무실에 설치하고 가드레일을 교체해 주십시오. 방문하기 전에 모든 공장 직원의 모자를 새롭게 보이도록 깨끗이 합시다. 우리는 좋은 인상을 심어 주고 싶습니다.

어휘 chairman 회장

replace 교체하다

entire 전체의

blind 블라인드

install 설치하다

guard-rail 가드레일

impression 인상

해설 'a number of + 복수명사(많은)'는 복수 취급하므로 복수동사 need가 와야 한다. 단수 취급하는 'the number of + 복수명사(~의 수)'와 혼동하지 말아야 한다.

2.

해석 한 무리의 관광객이 바짝 마른 호주의 황무지에 있는 작은 마을에 도착해서 식사를 하기 위해 유일한 간이식당에 들어갔다. 그들이 막 떠나려고 할 때 하늘에서 구름이 몰려오는 것을 보고, 간이식당 주인에게 비가 올 것 같으냐고 물었다. "그러기를 바라요."라고 어두워지는 하늘을 바라보며 대답했다. "저를 위해서라기보다는 제 6살짜리 아들을 위해서요. 저는 비를 본 적이 없거든요."

어휘 tourist 관광객

parched (땅 등이) 바짝 마른

wilderness 황무지

gather 모이다

for one's sake ~을 위하여

해설 not so much A as B는 비교급의 관용 표현으로 'A라기 보다는 B인'이라는 의미이다. 따라서 as가 들어가야 한다.

3.

해석 매년 차를 소유한 사람들의 숫자가 늘어나고 있다. 점점 더 많은 도로가 건설되고 있다. 자동차 극장, 자동차 은행, 자동차 식당들이 있다. 사람들이 너무 게을러서 걷지 않는다.

어휘 own 소유하다

roadway 도로, 차도

drive-in 자동차를 타고 들어가는

해설 (A) 'a number of + 복수명사'는 복수 취급해야 하고, 'the number of + 복수명사'는 단수 취급해야 한다. (B) 주어가 roadway이므로 건설되고 있다는 수동의 의미인 are being built가 적절하고, (C) too ~ to 구문으로 '너무 ~해서 ~할 수 없다'는 의미이다.

4.

해석 오늘 2피트 이상의 눈이 시애틀과 덴버에 내렸고, 대부분의 학교가 휴교를 했다. 북부 로키산맥에서는 바람이 시속 75미터로 불었다. 대부분의 중서부 지방에 악천후가 예상되었다. 하지만 피해는 그다지 심각하지 않았다. 오대호 연안의 주들에서는 여전히 폭설이 내렸다. 뉴욕의 서부에서는 아직 홍수가 계속되고 있었고 200가구가 대피해야 했다.

어휘 mph(miles per hour) 시속

damage 피해, 손해

Great Lake states 5대호 연안의 주들

flood 홍수

[해설] There is[are] ~ 구문의 be동사는 뒤에 나오는 주어가 단수냐 복수냐에 따라서 결정된다. 여기에서는 뒤에 some floods라는 복수가 주어로 나왔으므로 ④는 There were로 써야 적절하다.

Chapter 11
형용사, 부사

Let's Drill

A 1. sad 2. much 3. alive 4. very
B 1. not 2. Some 3. every
C ②
D ①
E 1. 우리는 진실과 거짓을 구별해야 한다.
    2. 가까이 와서 봐라.
    3. 그는 거의 익사할 뻔했다.
    4. 고기는 충분히 익지 않았다.

1. look은 2형식의 불완전자동사로 보어 자리에 부사는 올 수 없다. 해석이 부사처럼 되는 경우가 많아서 혼동되므로 주의해야 한다.

[해석] 그녀는 슬퍼 보인다.

2. money는 셀 수 없는 명사이기 때문에 much를 써야 한다.
many + 셀 수 있는 복수명사
much + 셀 수 없는 명사

[해석] 너는 얼마나 많은 돈을 가지고 있니?

3. be동사 뒤에는 보어 역할을 하는 형용사가 필요하므로 alive가 적절하다.

- It is a **live** fish. – 한정적 용법
  이것은 살아 있는 물고기이다.

- This fish is **alive**. – 서술적 용법
  그 물고기는 살아 있다.

형용사가 명사를 수식하는 역할을 할 경우가 한정적 용법이며, 주어나 목적어를 보충 설명해 주는 보어 역

할로 쓰이는 경우는 서술적 용법이라고 한다. a–로 시작하는 형용사(alive, asleep, afraid, awake, alike)는 서술적인 용법으로만 쓰인다.

해석 그의 할아버지는 아직도 살아 계신다.

4. '대단히, 훨씬'의 뜻으로 현재분사와 원급을 수식하는 경우에는 very를 사용하고, 과거분사와 비교급을 수식하는 경우에는 much를 사용한다. 그러나 형용사적으로만 쓰이는 과거분사(exited, surprised, tired, frightened 등)는 very로 수식할 수 있다.

· This game is **very** exciting.
(현재분사를 수식하는 경우)
· I'm **much(very)** excited at the game.
(과거분사를 수식하는 경우)

해석 그 테니스 경기는 매우 흥미진진했다.

1. not ～ always는 부분 부정으로 '항상 ～인 것은 아니다'라고 해석된다.

2. some은 전체의 일부를 가리킬 때 쓰인다.

3. '～마다'의 의미로는 'every + 수사 + 명사'를 사용한다.

거의 없는 : few + 셀 수 있는 명사
little + 셀 수 없는 명사
약간 있는 : a few + 셀 수 있는 명사
a little + 셀 수 없는 명사

· I was **little** surprised at his failure.
나는 그가 실패한 것에 대해 거의 놀라지 않았다.

빈도부사의 위치는 be동사, 조동사 뒤에, 일반동사 앞에 놓여야 하므로 일반동사 eat 앞인 ①이 가장 적절한 위치이다.

1. 'the + 형용사'는 추상명사가 될 수 있으므로, 여기서 the true(진실), the false(거짓)는 추상명사로 쓰였다.

2～3. near는 '가까이', nearly는 '거의'라는 의미를 갖고 있기 때문에 혼동하지 않도록 주의해야 한다.

4. enough는 형용사와 부사의 형태가 동일하다.

Real Test

1. ① 2. ⑤ 3. ① 4. ③

1.

해석 내 아내와 나는, 만일 우리가 페미니즘 이전 시기에 만났더라면, 우리 둘 모두 불행했을 거라고 때때로 말한다. 생계를 책임지는 가장으로서, 나는 아이들과의 시간을 박탈당한 느낌을 받을 것이다. 자신의 직업을 사랑하는 야심 있는 여자인, 나의 아내는 집에만 있는 엄마로서 좌절감을 느낄 것이다. 우리 각자는 상대방이 하는 일을 원하기 때문에, 아마도 서로에게 화를 낼 것이다. 그 대신에 남녀의 역할을 바꿀 수 있는 자유는 우리 각자가 진정으로 원하는 것에 끌리도록 해 주었다.

어휘 remark 말하다, 언급하다
era 시대, 시기, 연대

feminism 남녀평등주의, 페미니즘

breadwinner 가장

deprive 박탈하다

ambitious 야심 있는

frustrated 좌절한, 낙담한

resent 화내다, 원망하다

switch 바꾸다, 교환하다

gender role 성 역할

gravitate ~에 강하게 끌리다

toward ~ 향하여

[해설] 빈도부사의 위치는 be동사, 조동사 뒤에, 일반동사 앞에 놓여야 한다. 따라서 sometimes는 일반동사 remark 앞에 위치해야 한다. ②는 혼합 가정법의 주절이다.

2.

[해석] 나는 텔레비전 보기를 좋아한다! 나는 무슨 프로그램이 텔레비전에서 방영되는지 알고 싶기 때문에 매주 텔레비전 프로그램 안내 책자를 산다. 영화는 내가 특히 좋아하는 것이므로, 나는 그 주에 시청할 수 있는 영화를 찾아본다. 직장에서 돌아오자마자 나는 먹고 마실 것을 준비하고 텔레비전을 켠다. 나는 텔레비전으로 록 음악 비디오 시청하는 것을 좋아해서 좋은 비디오가 상영되면 언제나 텔레비전 볼륨을 가능한 높인다. 아내는 직장에서 돌아오면 대체로 볼륨을 낮춘다. 아내는 너무 시끄럽다고 말한다. 때때로 아내는 텔레비전을 끈다. 그녀는 텔레비전이 싫다고 말한다. 나의 아내는 나를 이해하지 못한다. 누구도 텔레비전 광을 이해하지 못한다.

[어휘] favorite 특히 좋아하는 (것)

look up (사전 등을) 찾아보다

turn on (전등, 라디오 등을) 켜다 (↔ turn off)

turn up (볼륨 등을) 높이다 (↔ turn down)

couch potato 텔레비전 광

[해설] '타동사 + 부사'로 이루어진 어구에서 목적어로

명사가 오면 목적어는 타동사와 부사 사이에 올 수도 있고 부사 뒤에 올 수도 있지만, 대명사가 목적어로 오면 반드시 타동사와 부사 사이에 와야 한다. 따라서 ⑤는 turns it down로 써야 한다.

3.

[해석] 우리 자신의 문화는 우리에게 매우 당연해 보인다. 우리는 우리가 하는 방식이 유일한 올바른 방식이라고 생각한다. 다른 민족의 문화는 종종 우리를 웃게 하거나 혐오스러운 느낌을 갖게 한다. 우리는 우리에게 우스워 보이는 옷을 보고 비웃기도 한다. 많은 사람은 곤충을 먹는 것을 받아들이지 못한다. 한 남자가 한 명 이상의 아내가 있다거나 한 여자가 한 명 이상의 남편이 있을 수 있다는 생각은 다른 문화권에는 충격적일 수 있다.

[어휘] natural 당연한, 자연스러운

culture 문화

disgusted 메스꺼운, 역겨운

ridiculous 우스운

insect 곤충

[해설] seem은 2형식 불완전자동사로 보어 자리에 부사가 올 수 없고 형용사가 와야 한다. 따라서 ① naturally는 natural이 되어야 한다.

4.

[해석] 대부분의 사람들은 자신에게 좋은 것과 불리한 것이라는 두 부문으로 세상을 나눈다. 이러한 방식은 대개는 효과가 있지만, 아주 흥미로운 것들은 그 두 부문 중 하나에 쉽게 들어맞지 않는다는 것이다. 예를 들어, 요구르트가 있다. 대부분의 광고에서는 요구르트가 건강식이라고 말하지만 최근의 연구에서는 맛을 가미한 8온스의 요구르트에 9 티스푼의 설탕이 함유되어 있다고 지적하고 있다.

어휘 category 부문

serving 음식의 한 그릇

flavored 맛을 낸

point out 지적하다

해설 advertisements는 복수형의 형태로 셀 수 있는 명사이다. 따라서 much가 아닌 many가 들어가는 것이 적절하다.

Chapter 12
접속사

Let's Drill

A	1. nor 2. both 3. or 4. so
B	1. but (also) 2. but 3. Unless
C	⑤
D	1. 비록 그는 영웅이지만, 겸손하다.
	2. 그 사람이 뭐라고 말해도 가지 마라.
	3. 그의 아버지뿐만 아니라 어머니도 돌아가셨다.
	4. 누구에게나 들리도록 큰 소리로 말해라.

1. neither 뒤에는 상관접속사로 nor가 와야 한다.

neither A nor B : A도 B도 아닌

해석 나는 술뿐만 아니라 담배도 하지 않는다.

2. both 뒤에는 상관접속사로 and가 와야 한다.

• both A and B : A와 B 둘 다

해석 그는 정직하고 근면하다.

3. '명령문 + and'는 '~해라 그러면 ~할 것이다'라는 의미이고, '명령문 + or'는 '~해라 그렇지 않으면 ~일 것이다'라는 의미로 조건의 뜻을 나타낸다.

• Study hard, and you'll pass the exam.
열심히 공부해라, 그러면 시험에 합격할 것이다.

• Study hard, or you won't pass the exam.
열심히 공부해라, 그렇지 않으면 시험에 떨어질 것이다.

즉 명령문과 뒷 문장이 상반된 내용으로 연결되면 접속사 or를 써 준다.

해석 즉시 와라, 그렇지 않으면 너는 늦을 것이다.

4. so ~ that은 '너무 ~해서 ~하다'의 뜻으로 해석된다.

해석 Mr. Kim은 너무 친절해서 그녀는 그를 좋아한다.

1. not only A but (also) B는 'A뿐만 아니라 B도'라는 의미이며, also를 생략해서 쓸 수도 있다. 이 구문은 B as well as A와 바꾸어 쓸 수 있다.

- He can ride not only a bike but (also) a motorcycle.
  그는 자전거뿐만 아니라 오토바이도 탈 수 있다.
    = He can ride a motorcycle as well as a bike.

2. not A but B : A가 아니라 B이다

- The important thing is not money but imagination.
  중요한 것은 돈이 아니라 상상력이다.

3. If ~ not은 unless(만약 ~하지 않는다면)로 바꿔 쓸 수 있다.

- If you don't study harder, you will not succeed.
  만일 열심히 공부하지 않는다면, 너는 성공하지 못할 것이다.
    = Unless you study harder, you will not succeed.

as soon as ~ = no sooner ~ than = scarcely ~ when = hardly ~ before: ~하자마자
여기서 부정어가 앞에 나올 경우는 주어와 동사가 도치되기 때문에 주의해야 한다.

- No sooner he had come than I told him so. (x)
→ No sooner had he come than I told him so. (o)
  그가 오자마자 나는 그에게 그렇게 말했다.

1. though는 '~일지라도'라는 뜻의 양보의 접속사로 even if, even though, although와 바꾸어 쓸 수 있다.

2. no matter what = whatever : 뭐라고 하든지

3. B as well as A: A뿐만 아니라 B도(= not only A but (also) B)

4. so that ~ can ~ : ~가 ~ 할 수 있도록

Real Test

1. ⑤ 2. ④ 3. ④ 4. ⑤

1.

해석 휘발유 가격은 점점 올라가고 도로는 점점 복잡해지며, 대기는 점점 더 오염되고 있다. 이런 늘어나는 위험 때문에 사람들은 자가용을 타고 다니기보다는 대중교통을 이용하도록 더 권유받고 있다. 대중교통을 이용하는 것은 여러 가지 이점이 있다. 그것은 돈뿐만 아니라 에너지를 절약해 준다. 우리는 중형 승용차를 차도로 몰고 나오기 전에 이런 이점을 고려해 보면 어떨까?

어휘 price 가격
crowd 붐비다
pollute 오염시키다
public transportation 대중교통
advantage 이점
pull out (차를) 몰다
driveway 차도

해설 'not only A but (also) B'는 'A뿐만 아니라 B도'라는 의미의 상관접속사이다. 따라서 A와 B는 같은 형태가 돼야 하므로 energy가 들어가는 것이 적절하다.

2.

[해석] 어느 겨울 오후에 나는 강이 얼었는지를 보고 싶었다. 내가 출발했을 때 눈이 약하게 내리고 있었다. 그곳에 도착했을 때 눈이 많이 내리기 시작했기 때문에 그곳에 잠시 동안 머물러 있었다. 눈이 점점 더 많이 내리고 있었기 때문에 나는 집으로 빨리 걷기 시작했다. 곧 눈이 너무 심하게 내려서 강으로 가면서 내가 만든 발자국을 제외하고는 앞에 아무것도 보이지 않았다. 나는 곧 우리 집에서 나오는 불빛을 볼 수 있기를 바라고 있었다. 그때 나는 나의 발자국이 사라져 버린 것을 알았다. 발자국은 내리는 눈에 의해서 완전히 덮여 버렸다. 나는 길을 잃고 말았다.

[어휘] freeze 얼다

set out 출발하다

except ~을 제외하고

footprint 발자국

completely 완전히

[해설] ④ so that은 '~하기 위해서'라는 목적을 나타내는 말이다. '눈이 너무 심하게 내려서 ~할 수 없었다'는 의미가 되기 위해서는 so heavily that이 되어야 한다.

3.

[해석] 외로운 것과 혼자 있는 것 사이에는 차이가 있다. 아주 종종 사람은 생각하고 반성하고 단지 쉴 수 있기 위하여 혼자 있고 싶어 한다. 이것은 어떤 사람이 슬프고 소외되었다고 느낄 때의 외로운 것과 다르다. 그러나 다른 사람들과 함께 있다는 것이 외로움을 느끼지 않을 것이라는 보증은 아니다. "나는 파리의 혼잡한 거리를 걸어 다닐 때처럼 외로운 적은 없었다."라고 한 방문객은 썼다. 요점은 우리가 적절한 사람, 즉 우리에게 중요한 사람들과 접촉할 필요가 있다는 것이다.

[어휘] lonely 외로운, 쓸쓸한

alone 혼자 있는

reflect 반성하다, 깊이 생각하다

rest 쉬다

guarantee 보증

point 요점

isolated 고립된

[해설] when은 부사절을 이끄는 접속사이므로 뒤에 주어와 동사가 나와야 한다.

4.

[해석] 확실하게 지구 너머에 생명체가 존재한다는 것을 어느 누구도 증명하지 못했다. 그뿐만 아니라 20~30년 전에는 그 가능성을 제시한다는 것조차 순수한 추리로만 생각되었다. 그러나 그것은 바뀌었다. 우주에 대한 이해가 빠르게 증가함에 따라서 우리는 혼자만이 아니라는 믿음이 생겨났다. 얼마 전에, 이 문제에 대한 학술회의에서 어떤 천문학자는, "문제는 존재 가능성에 있는 것이 아니라 어디에 존재해야 하는가이다."라고 말했다.

[어휘] prove 증명하다

exist 존재하다

pure 순수한

speculation 추측

dawn 나타나기 시작하다

symposium 학술회의

declare 단언하다

[해설] 의미상 'A가 아니라 B이다'라는 상관접속사의 형태가 되어야 하므로 not A but B로 쓰면 된다. 따라서 not if but where가 적절하다.

Chapter 13
특수 구문

 B

1. prevent A from - ing = forbid A to + 동사원형 : A가 ～하지 못하도록 하다

2. 부정의 뜻을 강조하는 어구로는 not ～ in the least(조금도 ～ 아니다), not ～ at all(전혀 ～ 아니다), not ～ by any means(결코 ～ 이 아니다) 등이 있다.

3. '무생물 주어 + enable A to + 동사원형'의 구문은 '주어가 A에게 ～를 가능하게 하다'라는 의미를 나타낸다.

 C

A, B and C의 형태로 연결된 병렬구조이므로 앞의 reading, writing과 같은 형태인 watching이 와야 한다.

 D

1. It is ～ that 강조 구문으로, 강조하고 싶은 것을 It is와 that 사이에 넣어서 강조한다.

• Linda gave me a book in the class yesterday.
Linda는 어제 나에게 교실에서 책을 주었다.

→ It was Linda that gave me a book in the class yesterday.
어제 교실에서 나에게 책을 준 사람은 바로 Linda였다.

2. 앞 문장이 긍정문일 때 '～ 마찬가지다'라는 의미로 'so + 동사 + 주어'를 쓰며, 앞 문장이 부정문인 경우에는 'neither + 동사 + 주어'를 써야 한다.

• A: I like apples. 나는 사과를 좋아해.
B: So do I. 나도 그래.

• A: I don't like snakes. 나는 뱀을 싫어한다.
B: Neither do I. 나도 그래.

3. 부정어가 문장 앞에 있기 때문에 주어와 동사가 도

Let's Drill

A 1. did I   2. in the world
   3. very   4. this is
B 1. forbade, to, go 2. in, the, least 3. to
C ③
D 1. 어제 교실에서 나에게 책을 준 사람은 바로 Linda였다.
   2. A: 나는 뱀을 싫어한다. B: 나도 싫어한다.
   3. 그때까지 나는 독일어를 말할 수 없었다.

 A

1. 부정어가 문두에 오면 주어와 동사는 도치된다.

• I never dreamed that such a big building existed.
  = Never did I dream that such a big building existed.

해석 나는 그렇게 큰 건물이 있다고 결코 상상하지 못했다.

2. in the world, on earth, ever 등이 의문사 뒤에 오면 '도대체'라는 의미로 의문사를 강조한다.

해석 그가 그 당시에 도대체 뭐라고 말했던 거니?

3. the very는 명사 앞에서 '바로 그'라는 의미로 명사를 강조한다.

해석 이것은 내가 보고 싶어 한 바로 그 게임이다.

4. 의문문이 문장 중간에 들어가는 경우는 간접의문문으로, 어순이 '의문사 + 주어 + 동사'로 바뀌기 때문에 주의해야 한다.

해석 너는 이것이 무엇인지 아니?

치되어, not until은 '～까지 ～않다'로 해석된다.

1. ③   2. ⑤   3. ③   4. ②

1.

[해석] Peter는 여행할 때 단체 여행을 하는 대신 늘 자기 뜻대로 여행을 한다. 그는 어디로 갈 것인지, 그곳에 도착했을 때 무엇을 할 것인지, 얼마나 오래 머물 것인지에 대해 결정하는 자유를 즐긴다. 그는 여행객이 없는 멀리 떨어진 지역을 탐험하는 것을 즐긴다. 여행에 대한 그의 생각은 최소한 일시적이라도 모든 친숙한 것으로부터 탈출 욕구에 근거를 두고 있다.

[어휘] on one's own 자기 멋대로

explore 탐험하다

remote 멀리 떨어진, 외딴

be based on ～에 근거를 두다

desire 욕구, 욕망

escape 탈출하다, 도망치다

temporarily 일시적으로

familiar 익숙한, 친숙한

[해설] 간접의문문의 어순은 '의문사 + 주어 + 동사'이어야 하므로 ③은 how long he will stay라고 해야 맞는 표현이다.

2.

[해석] 많은 소년과 소녀가 인형을 가지고 노는 것을 좋아한다. 그들은 책에서 접했거나 영화나 TV에서 본 사람들과 비슷하게 생긴 인형을 좋아한다. 광대, 경찰, 군인을 닮은 인형은 종종 서커스, 탐정, 군대나 탐험가를 가장하는 놀이에 사용된다.

[어휘] resemble ～와 닮다

clown 광대

make-believe game 가장 놀이

detective 탐정

explorer 탐험가

[해설] (A) '～처럼 보이다'라는 의미로 뒤에 목적어가 있기 때문에 look like가 들어가야 한다. (B) 등위접속사 or에 의해서 연결된 병렬구조의 표현이므로 or 뒤에는 have read와 같은 구조인 have seen이 와야 한다. (C) often은 빈도부사이므로 be동사 뒤에 와야 한다.

3.

[해석] 아이들이 다 성장한 후에 나는 직장으로 돌아왔다. 모든 새로운 기계에 적응하는 것이 쉽지 않았다. 그리고 요즘의 경쟁력 있는 젊은이들과 그랬다. 나는 매우 무능력하게 느껴졌다! 내가 포기하려고 할 때 언니가 City 대학의 야간 강좌에 대해 말해 주었다. 요즘 나는 첨단 사무기계에 대해 모두 알고 있다. 게다가 나는 자신에 대해서도 많이 알게 되었다.

[어휘] adjust 적응하다

competitive 경쟁적인

incapable 무능력한

give up 포기하다

[해설] (A)의 주어는 machines가 아니라 Adjusting 이므로 단수동사 wasn't가 들어가야 한다. (B)는 neither라는 부정어가 문장 앞에 나와 있으므로 주어와 동사를 도치시킨 neither were today's competitive young people이 되어야 맞다. 'neither + (조동사) + 주어'는 '～도 그렇지 않다'는 뜻으로 부정문에 대한 동의 표현이다. (C)는 주어가 목적어와 같으므로 재귀대명사 myself가 적절하다.

4.

[해석] 장례식장에서 나는 혼자 있었다. 그때 한 남자

가 꽃이 든 꽃병을 하나 가지고 왔다. 쪽지에는 "W. John Graves에게, 당신과 함께 Memorial 병원에서 태어난 소년과 엄마로부터!"라고 쓰여 있었다. 그때서야 나는 그 꽃병이 장미로 가득 차 있다는 것을 깨달았다. 그녀와 나는 오랫동안 연락이 끊겼었다. 그녀는 나의 아들에 대해 알지 못했고, 그의 병에 대해서도 알지 못했다. 그녀는 신문에서 나의 아들에 죽음에 대해서 읽었음에 틀림없었다.

[어휘] funeral 장례식

bring it 가져오다

recognize 알아채다, 인식하다

[해설] ②는 부사구 only then이 문장 앞으로 나왔으므로 '조동사 + 주어 + 본동사' 어순으로 도치되어야 한다. 따라서 only then did I recognize의 어순이 되어야 한다.

깐깐**한**
고등영문법

Start